D0194200

Le bien-être
à votre portée

Bertrand Poncet

Le bien-être à votre portée

Pygmalion

Ouvrage précédemment paru sous le titre :
Le bien-être à portée de mains

Photos de l'ouvrage réalisées à l'Hôtel HI – 3, avenue des Fleurs – 06000 Nice

Le papier de cet ouvrage est composé de fibres naturelles, renouvelables, recyclables et fabriquées à partir de bois provenant de forêts plantées et cultivées durablement pour la fabrication du papier.

ISBN : 978-2-266-17162-5

Sommaire

REMERCIEMENTS

À Hà pour son grand cœur,

Michel et Marie-Estelle Liégeois pour leur présence et leurs conseils avisés,

Au Dr Philippe Coutand pour le partage de son savoir,

À M. Nguyen-Dinh Lan pour les précisions apportées à la technique Cao Gio,

Thierry Farrayre pour sa précieuse aide,

Jean-Marc Presti pour ses encouragements et son optimisme,

Christophe Mrzyglod et son équipe Kreadesign.com pour la réalisation de la couverture,

Christiane Domenici pour sa disponibilité et son professionnalisme,

Philippe Chapelet et Patrick Élouarghi pour leurs qualités humaines, leur confiance et la mise à disposition de l'espace massage dans leur Hôtel HI,

Et à tous mes proches qui ont su attendre avec intérêt et patience la réalisation de cet ouvrage…

Bertrand Poncet,
www.massageadomicile.com

Introduction

Ce guide s'adresse à tous. Il se donne comme un outil pratique de bien-être, de relaxation et d'évolution personnelle.

Je vous propose une approche nouvelle des principaux types de massages existants avec leurs applications pratiques, et une invitation à expérimenter des techniques de relaxation énergétique.

Ce livre vous donne aussi l'occasion de développer la connaissance de votre propre corps, en réapprenant à respirer pour canaliser l'énergie et à développer toutes vos perceptions.

Il vous invite enfin à un tour d'horizon des techniques simples mais essentielles de respiration, de relaxation, de massages, d'étirements, de Qi Gong, de Tai ji Quan, de méditation…

Je vous souhaite de tout cœur une belle aventure intérieure ainsi qu'un ressourcement bénéfique.

« Beaucoup pensent à vivre longtemps,
peu à bien vivre. »

Socrate

Première partie

LA PRISE DE CONSCIENCE

Et si le moment était venu de penser vraiment à vous ?

Avez-vous conscience des ressources de votre être ? De la richesse de votre corps et de sa supériorité sur toute richesse matérielle… ? Auriez-vous la sagesse de partir maintenant à la découverte de votre corps et de votre esprit… ?

Le désir croissant d'échapper à un quotidien stressant nous amène à chercher d'autres « destinations »… Certains partent pour un ailleurs énigmatique et incertain, d'autres se posent afin de se trouver. Car nous sommes toujours en quête d'une nouvelle destination. Et le plus beau voyage est celui qu'on entreprend vers soi-même…

Alors arrêtez de chercher, posez-vous, prenez une grande inspiration et découvrez tous les trésors livrés dans ce guide. Il vous donnera peut-être les clés mêmes de votre voyage intérieur.

Notre société « moderne »

Nous vivons dans une civilisation paradoxale. Les familles n'ont jamais été aussi dispersées aux quatre coins du monde, les citoyens n'ont jamais autant voyagé alors que notre rapport au corps, lui, se rapproche du sédentarisme. Nous ne sommes plus des chasseurs pour gagner notre vie, mais des ronds-de-cuir ! Le rapport au travail et aux loisirs fait que nous n'utilisons pratiquement plus notre corps, on en vient à faire du body-building pour transpirer… La relation Corps-Esprit n'est plus équilibrée. Nous faisons intervenir notre psychisme beaucoup plus que notre physique.

Le revers de la médaille de la « modernité », du progrès et des nouvelles technologies s'exprime dans les déséquilibres de la santé tant physiques que psychiques et dans l'affaiblissement des défenses immunitaires. Par un trop grand confort matériel au quotidien et une recherche sans cesse du « non-effort », ne passerions-nous pas à côté du fabuleux potentiel de notre corps… et des réserves insoupçonnées de notre esprit ?

Nous évoluons dans une vie trépidante où la pollution et le bruit entravent notre équilibre psychique. Le stress y est omniprésent avec des impératifs de tous ordres et une surcharge d'informations difficile à gérer ou à ingurgiter. Certes, le stress n'est pas seulement négatif, il peut aussi être moteur et source de créativité.

Ce qui est dangereux pour l'individu, c'est de ne pas savoir comment relâcher toute cette pression et ces tensions tant physiques que psychiques qui en découlent.

Quels sont les effets secondaires d'une société moderne qui va trop vite, toujours trop vite et de plus en plus en vite ? Mines grisâtres, visages fades et sans saveur, individus absorbés par leurs pensées, courant après le temps, voulant enfermer une pleine année dans un tout petit agenda…

Les institutions ne nous invitent pas à aller chercher des réponses à l'intérieur de nous-mêmes. Nos capacités intellectuelles, émotionnelles, psychiques demeurent alors ensommeillées.

La France est tout de même considérée comme un des pays les plus avancés aussi bien sur le plan de la médecine et de la protection sociale que dans un certain art de vivre au quotidien. Et pourtant, elle possède le taux le plus élevé de consommation d'antidépresseurs et de neuroleptiques en tout genre…

Sommes-nous vraiment dans la bonne direction ? Notre société de consommation s'oriente-t-elle vers un lendemain plus humain ?

La véritable richesse : le temps

À l'heure où chacun cherche le meilleur placement financier et s'évertue dans l'urgence à réaliser de bonnes opérations, tant boursières qu'immobilières, il n'est pas facile de comprendre que le meilleur investissement, encore trop souvent méconnu, voire inconnu, n'est autre que… vous-même !

Il serait bon en effet de s'imprégner de cette idée, si simple et pourtant si difficile à mettre en application, que le placement le plus rentable, c'est vous !

Investir sur soi-même et dans son bien-être constitue le fondement de nos actions et la condition d'une existence qui peut trouver la vraie richesse.

Il est vrai que chacun prend volontiers conscience

que la vie passe vite, décidément trop vite. Que notre qualité de vie passe au second plan devant nos obligations professionnelles et nos habitudes… Une des expressions les plus répandues aujourd'hui est à cet égard bien significative : « Je n'ai pas le temps. » Tout se passe comme si le temps libre semble s'être accéléré, raccourci…

Et, de fait, de plus en plus nombreux sont ceux qui courent après le temps ou qui ne touchent plus terre… Et chacun se plaint de ne pas avoir de temps… sans surtout prendre le temps de s'arrêter.

Quelle facilité de fuir le temps, et donc la vie, en surchargeant son emploi du temps. Certaines personnes sont toujours en hyperactivité tant cérébrale que physique et se disent incapables de ne rien faire. Elles enchaînent les activités tout au long de la journée, se perdent le plus souvent à la poursuite d'un avoir illusoire…

Vous pouvez en effet détenir la plus belle propriété, une très grosse voiture, des comptes bancaires bien remplis… vous ne serez pas riche pour autant. Ce que vous avez ou désirez avoir ne doit pas primer sur votre être : c'est parce que vous êtes riche de vous-même que l'avoir peut prendre tout son sens, et non le contraire. Riche est celui qui sait prendre le temps.

Il ne faut pas perdre sa vie à la gagner…

Il serait pertinent de méditer cette sage citation : « Tout doucement, les passionnés ont vécu, les raisonnables ont duré, oh ! comme je suis heureux d'avoir vécu car j'étais passionné et comme je suis heureux d'avoir duré car je fus raisonnable… »

Ce dont nous sommes sûrs, c'est notre approximative égalité devant le nombre d'heures que représente notre passage sur cette Terre (75 ans/365 jours/24 h ≃ 650 000 heures). Ce temps est votre capital, il vous appartient ! Ne le dilapidez plus aussi facilement... Le temps vous permet de réaliser vos projets les plus secrets, de partir découvrir un pays qui vous est cher, de parcourir un livre de philosophie ou encore d'écouter quelqu'un qui a besoin de parler...

Prenez soin de votre corps, consacrez-lui du temps... il vous le rendra au centuple. Passez plus de temps avec vous-même afin de mieux vous connaître et ainsi faire les bons choix dans votre vie.

Cette pause salvatrice ne peut qu'aider à regarder d'où l'on vient et à prendre conscience de nos besoins fondamentaux. Beaucoup s'aperçoivent avec regret que la vie, le temps ont glissé, comme le sable entre leurs mains. Alors, après une bonne journée de travail, au lieu de rentrer chez vous le plus rapidement possible, prenez cinq minutes pour vous poser. Cela peut être dans votre bureau, dans un parc ou même dans votre voiture sur le parking. Rentrez dans cet « espace-temps » comme s'il était infini et respirez, détendez-vous... laissez venir les pensées, les idées qui se bousculent et observez partir peu à peu la pression, les tensions. Plus vous êtes tenté d'aller vite et plus il vous faudra ralentir... Dès que vous vous forcez à effectuer des gestes lents, ils deviennent plus précis et le temps paraît soudainement plus long. Il semble même parfois se figer.

Quand vous vous arrêtez ainsi, vous êtes face au temps, donc face à vous-même. Et c'est ce que certains cherchent précisément à fuir... toute la vie durant. Le moment n'est-il pas enfin venu de vous affronter ?

« Mieux vaut prévenir que guérir »

Chacun est aujourd'hui plus sensible à la nécessité de prendre soin de soi-même en respectant ce vieil adage.

Voici quelques mauvaises habitudes :

Vous vous asseyez en croisant les jambes.

Vous vous asseyez en cambrant inutilement le bas du dos.

Vous vous déhanchez dans la position debout sur un seul appui.

Vous portez toujours votre sac ou votre outil de travail sur la même épaule.

Vous vous affalez sur une table (de travail ou de cuisine) avec la tête reposant sur une main, le coude sur la table…

Vous coincez le téléphone entre votre joue et votre épaule.

Vous marchez voûté, les mains dans les poches, les yeux baissés.

Les principaux conseils de posture :

La colonne vertébrale fonctionne efficacement quand la tête repose sur le cou légèrement vers l'avant avec le menton rentré permettant ainsi de grandir le rachis cervical tout en l'alignant avec la colonne vertébrale.

1. Lorsque vous êtes assis, ne croisez plus les jambes.

2. Lorsque vous êtes debout, essayez le plus possible d'être en appui sur vos deux pieds, en équilibrant le poids de votre corps sur vos deux voûtes plantaires.

3. Ne sortez pas de votre voiture trop brusquement, faites attention à ne pas vous déhancher afin d'éviter le fameux « tour de reins ».

Plus vous prendrez soin de votre corps et moins il vous fera souffrir.

Mieux vaux prévenir que guérir…
adage bien connu des Chinois

En effet, le massage traditionnel chinois est le massage préventif par excellence. C'est à ce titre qu'en Chine, sous l'ancien régime jusqu'en 1949, le praticien était rémunéré tant que son patient était en bonne santé ! S'il tombait malade, cela mettait en évidence une mauvaise thérapie. Il ne recevait plus alors d'honoraires jusqu'à ce que son client recouvre la santé.

Le massage chinois permet de prévenir les maladies fébriles les plus courantes (rhumes, céphalées, oppression thoracique…) mais aussi de traiter parfois des névralgies incurables ou des maladies d'origine souvent psychologique (douleurs du dos, stress, angoisses, insomnies) très répandues en Occident.

Une partie de ma clientèle est anglo-saxonne. Contrairement aux Français, elle prend facilement rendez-vous pour entretenir son bien-être. Il appartient aux mœurs anglo-saxonnes d'investir dans son corps sans qu'il y ait de pathologie ou de douleur déclarées. Le Français, lui, consulte lorsqu'il est confronté à un problème physique ou psychologique, alors même que la douleur est déjà installée.

Mieux vaux prévenir que guérir…
adage valable aussi dans le domaine
de la communication

Il est sage d'exprimer ce que l'on ressent chaque jour. N'attendez pas le conflit avec votre voisin ou l'un de vos proches pour extérioriser au moyen de la parole ce que vous avez toujours voulu lui dire. Il n'est certes pas aisé de parler ouvertement mais sachez que tout ce qui vous coûte, vous rapporte. Je vous invite en ce sens à faire un effort sur vous-même. Exprimer ce que l'on ressent permet d'être en accord avec soi-même et invite l'autre à faire de même.

La course à l'énergie : une valeur sûre

Il vous arrive sans doute d'avoir mal au dos, de sentir vos jambes lourdes, vos épaules contractées, de vous réveiller fatigué avec des céphalées ou une boule au creux de l'estomac.

Comme chacun, vous subissez dans votre corps les contrecoups du stress et des difficultés que vous avez rencontrées dans la vie.

Pour les Orientaux, tous ces problèmes sont liés à une perturbation de la libre circulation de l'énergie dans le corps. N'importe quelle maladie ou difficulté, d'ordre physique et/ou psychologique, relève d'une aide énergétique. Et l'instrument le plus simple et le plus répandu reste la main, dans le vaste domaine que représente la relaxation énergétique.

Une alternative existe à cette fuite en avant de votre

vie, du corps et de l'esprit : la pratique d'exercices corporels et respiratoires associés aux massages. Leurs pratiques rétablissent une bonne circulation de l'énergie dans l'organisme, améliorent le fonctionnement des organes, renforcent les capacités de défense et d'auto-guérison du corps. C'est le moyen de rester en bonne santé, de prévenir les maladies et le stress.

Parce que le massage est le geste le plus naturel et certainement le plus ancien, il est d'utilité publique de le réhabiliter. Il constitue aussi un vecteur de communication très puissant mais encore trop peu utilisé car souvent associé à la rééducation fonctionnelle, à l'amincissement ou à d'autres problèmes mécaniques.

L'idéogramme chinois correspondant à l'énergie signifie également le souffle. On comprend alors la relation étroite entre la respiration et l'énergie.

Le temps représente notre plus grande richesse, au même titre que notre capital santé, notre énergie propre. Tant que la cire d'une bougie perdure, la flamme dure. Tant que l'homme dispose de son capital « énergie », il reste en vie.

Plus votre niveau énergétique sera élevé et plus vous vibrerez sur des plans subtils. De la même manière que vous ne pouvez pas donner autre chose que ce que vous êtes, vous attirez également ce que vous êtes.

Chacun tire son énergie de trois nourritures principales :

- *L'air que l'on respire (qualité de l'air et conscience de la respiration proprement dite).*
- *La nourriture et la boisson.*
- *Les pensées que l'on entretient et que l'on crée.*

Les masseurs qui prodiguent des massages de bien-être accordent beaucoup d'importance à leur corps et à leur esprit. En effet, leur carte de visite, c'est eux-mêmes, leur corps et l'énergie qui s'en dégage ! Un bon masseur s'alimente en toute conscience (quoi, comment et quand manger), il connaît les techniques fondamentales de la respiration pour travailler son Qi (énergie vitale) et diriger ses pensées à travers la méditation, la visualisation ou le Qi Gong…

L'énergie est un large concept. À juste titre, car tout n'est qu'énergie sur terre. Elle appartient au domaine de l'invisible mais reste néanmoins perceptible. Vous pouvez certainement remarquer que l'on vous regarde dans la rue avec insistance lorsque vous êtes rempli d'énergie. De la même manière, quand vous vous êtes mal réveillé et que vous avez l'impression de « pédaler dans la semoule », personne ne vous porte attention.

Pour réfléchir, penser, écouter, exprimer, il vous faut une certaine dose d'énergie. C'est le carburant de tous ! Plus vous serez chargé d'énergie positive et plus facilement vous pourrez résoudre toutes sortes de problèmes de la vie quotidienne. Le Qi Gong, le Tai ji Quan, la méditation et les massages sont autant de disciplines qui permettent l'ouverture des yeux sur le monde bien réel de l'énergie.

Le plus difficile dans tous ces exercices reste de décider de les pratiquer, ici et maintenant… Plus vous les développerez, plus vous aiguiserez vos sens et plus vous serez capable de vous recharger naturellement en énergie.

Le corps nous parle, à nous de l'écouter

La maladie ou le symptôme, contrairement à l'idée reçue de la fatalité, constitue une amie, une aide. Chacun connaît la phrase de Jung : « Ce qui ne nous vient pas à la conscience nous revient sous forme de destin. »

La maladie, notre alliée, nous permet de faire venir à la conscience la problématique que nous vivons inconsciemment.

Comparons le corps à une voiture, même s'il n'est évidemment pas comparable à une machine !... Nous sommes au volant quand un voyant s'allume : rouge par exemple avec un bidon d'huile gravé dessus... On sait immédiatement reconnaître le problème, notre cerveau comprend le message, nous invite à nous arrêter pour vérifier le niveau d'huile... Tel est le rôle de la maladie ou du symptôme. De la même manière, quand notre corps développe une maladie, il nous envoie en quelque sorte un message qu'il nous faut comprendre.

Aucun signe clair n'y est associé, à nous de savoir ce que notre cerveau tente de nous communiquer par l'intermédiaire de cette maladie clé.

Pour désamorcer le processus, nous devons nous positionner au niveau de notre conflit intérieur. C'est là que peut débuter le travail sur soi... !

La plupart de ces pathologies ont été décodées : mon mal de gorge est bien la conséquence de ce que je n'ai pu dire, de ce que je n'ai pu répondre. Ici, tout nous semble clair, mais ce n'est pas toujours aussi simple. À nous de sentir et ressentir quelle émotion a été vécue avant l'apparition de la maladie. Quelle est cette douleur au genou qui nous fait souffrir depuis ce matin ? N'est-ce pas cette décision arbitraire qu'a prise notre chef de service, la veille, à notre encontre et devant laquelle nous ne pouvons plier ?

C'est le niveau de conscience avec lequel nous regardons nos maux qui nous permettra de trouver les mots avec lesquels nous verbaliserons nos souffrances plus ou moins conscientes. Si l'on a un clou dans notre chaussure, libre à nous de mettre chaque soir un pansement sur la plaie et de continuer à souffrir quotidiennement.

La deuxième solution est d'enlever le clou ; de ne plus voir cette personne qui nous harcèle chaque jour, par exemple.

La troisième enfin est de se demander pour quelle raison on a marché sur un clou. Qu'est-ce qui chez moi irrite la personne pour qu'elle me harcèle de cette façon ?

Notre corps est capable de s'autoguérir. Il sait refermer et cicatriser une plaie, consolider une fracture osseuse… alors pourquoi pas le reste ? C'est une question de niveau de conscience qui nous est demandée… à chacun son niveau de soin, à chacun son niveau de conscience. La connaissance se situe en chacun de nous, tout est une question d'ouverture de soi-même et de volonté de rentrer dans la conscience.

Le corps est à l'image de cet enfant qu'on ne veut pas écouter et qui mettra tout en œuvre pour être entendu. De quels moyens dispose notre cher et tendre corps pour ne plus être mis au ban de notre vie ? Il ne peut plus souffrir d'être mis sur la touche tel un remplaçant d'une équipe de football que l'on appellerait au coup par coup. Alors il vous fait partager sa souffrance et exige, par les douleurs qu'il vous envoie, de la considération voire de la référence.

Vous voulez agir concrètement pour la prévention de votre capital santé ? Donnez-vous du temps pour vivre votre corps et lui redonner la place qu'il mérite dans la vie. Il restera votre meilleur ami, à condition que vous le respectiez... en somme, que vous vous respectiez ! Il n'est de pire ennemi de soi que soi-même !

Le massage : antidote au stress et source de bien-être

Pour un bien-être à votre portée, les plus anciennes techniques sont remises au goût du jour. Plus qu'une mode, les massages deviennent un art de vivre et font partie intégrante d'une bonne hygiène de vie. Ils demeurent un excellent moyen pour gérer le stress quotidien, pour retrouver le repos du corps et de l'esprit. Ils sont un merveilleux outil pour prendre conscience de son corps et pour se le réapproprier. Le massage active la circulation sanguine et lymphatique, entraînant une meilleure oxygénation des cellules ainsi qu'une meilleure élimination des toxines.

Bien souvent indispensable et salvateur, il permet de prendre conscience de son corps et des parties avec lesquelles l'être humain était coupé jusqu'alors... Dans l'immense et généreuse vague de bien-être qui l'envahit, celui-ci prend conscience de chacune des parties du corps travaillées, à la fois isolées et dans leur ensemble, suivant un rythme continu.

Quelles sont les parties du corps régulièrement touchées ? Lesquelles ne le sont jamais ? Les mains du masseur vont réhabiliter le corps en stimulant les millions de récepteurs sensitifs présents dans la peau, les tissus, les muscles, les tendons… Elles sollicitent toutes les zones d'ombre, oubliées et « mises en jachère ».

Ces récepteurs redéfinissent la carte du corps. C'est ce que l'on nomme « l'unité, le schéma corporel retrouvé ». Recevoir un massage, c'est partir à la reconquête de soi-même, de son propre espace, de son territoire, de son monde à soi.

Votre pays, c'est vous !

Quelle est la partie du corps qui vous semble la plus éloignée de vous ? Certains seront tentés de répondre : les pieds, le dos… En réalité, on devrait naturellement dire : aucune, puisque nous sommes le corps, nous l'habitons dans sa totalité. Après un vrai massage, l'individu se sent UN, comme « relié » à toutes les parties qui composent son corps.

Grâce au massage, la prise de conscience du *corps* amène à une prise de conscience plus globale faisant intervenir l'*esprit*.

Accordez-vous enfin ce moment de ressourcement… un massage à domicile personnalisé !

Le praticien se déplace à votre domicile avec son matériel professionnel :

– la table de massage portable,
– les serviettes de soins,
– les huiles essentielles,
– un choix de musiques d'accompagnement,
– le plein d'énergie pour vous et rien que pour vous !

Les bienfaits du massage

Le massage est un art qui remonte à la nuit des temps. Ses effets relaxants, stimulants et thérapeutiques sont connus depuis l'Antiquité, notamment en Chine, en Inde et en Égypte où il était un complément indispensable du bain.

En Occident, il fut largement pratiqué par les Grecs et les Romains, puis transmis par les rebouteux avant d'être enseigné officiellement. Maintenant, il est grand temps que soient reconnues les vraies valeurs du toucher qui en font, sans doute, le premier sens de la communication et du bien-être.

Les bienfaits du massage et de la relaxation sont de plus en plus appréciés. Quant aux massages traditionnels thaïlandais et chinois, ils sont très prisés car ils possèdent des vertus thérapeutiques. En effet, ils travaillent non seulement sur le muscle mais aussi sur l'énergie.

Pour profiter au maximum de leurs bienfaits, il est judicieux de les intégrer dans une véritable hygiène de vie. De tous les organes sensoriels, la peau est le plus élaboré à la naissance. Et il en est du toucher comme des autres sens : s'il n'est pas stimulé, sa sensibilité s'amenuise. Plus on est touché, plus on touche et plus on ressent les perceptions tactiles. Le toucher est une nécessité vitale, au même titre que la respiration, l'ingestion, le sommeil. Pratiqué régulièrement, le massage développe la conscience du corps et de l'esprit. Le sens du toucher et du plaisir sera retrouvé, constituant la voie royale pour prendre en main sa santé, optimiser son bien-être et retrouver le sourire intérieur.

Les bienfaits spécifiques du massage

Sur la structure et la posture de notre corps :
- soulage le mal de dos,
- rend les muscles plus souples et plus élastiques,
- contribue au relâchement des tensions,
- améliore la mobilité articulaire et donc,
- favorise l'amplitude de nos mouvements.

Sur le fonctionnement de notre organisme :
- apaise et calme,
- soulage la douleur,
- améliore le sommeil,
- augmente la capacité respiratoire,
- permet une meilleure oxygénation et élimination des toxines,
- stimule la digestion,
- nourrit la peau par les huiles utilisées.

Sur le plan sensoriel et psychomoteur :
- développe la conscience du corps,
- éveille le sens du toucher et aiguise les perceptions,
- favorise la circulation de l'énergie.

Sur le plan psychologique et émotionnel :
- accroît la conscience des émotions et favorise leur expression,
- augmente l'estime de soi et la valorisation personnelle,
- permet une meilleure gestion du stress,
- développe la compréhension de soi-même,

– contribue à l'ouverture d'esprit,
– aide à la prise de conscience.

Une légende chinoise

Il était une fois… une jeune femme en manque d'amour et de reconnaissance qui décida de consulter un vieil herboriste chinois.

Elle lui demanda de lui préparer une décoction vénéneuse, capable de tuer sa belle-mère qui s'était montrée cruellement injuste à son égard.

Le sage herboriste lui donna alors une potion qui avait l'apparence du thé. Il recommanda de l'administrer à sa belle-mère et de lui prodiguer le massage traditionnel chinois pendant trois mois. Car selon lui, le poison agirait ainsi avec beaucoup plus d'efficacité et la mort paraîtrait davantage venir d'une mort naturelle…

La jeune femme suivit à la lettre toutes ses précieuses recommandations. Mais au bout de deux mois et demi de ce « traitement », elle en vint à regretter sa décision première. En effet, elle ne désirait plus voir sa belle-mère mourir tant elle avait appris à mieux la connaître, la comprendre et l'apprécier à travers les séances de massage. Parallèlement, sa belle-mère commençait à lui manifester de l'affection et même de l'amour.

La jeune femme courut alors revoir le vieux sage herboriste, le suppliant de lui donner l'antidote contre la fameuse potion. Celui-ci lui révéla la vérité sur la vraie nature du « poison ». Ce n'était en fait que du thé mélangé à une simple eau de fleurs…

Deuxième partie

TECHNIQUES DE RELAXATION ÉNERGÉTIQUE

Chacun de vos dix doigts représente une idée essentielle

1. Planifiez votre journée dès la veille, et débarrassez-vous le matin des actions que vous n'aimez pas faire. Visualisez, le soir dans votre lit avant de vous reposer dans les bras de Morphée, la chronologie de la journée passée ou celle qui vous attend le lendemain. Cela vous permettra de prendre un recul salvateur sur tous les événements de votre vie.

2. Une place pour chaque chose, et chaque chose à sa place ! La saleté et/ou le désordre entretiennent la sensation oppressante que votre vie vous échappe.

« À chaque jour suffit sa peine », avancez un peu au quotidien dans les corvées ménagères tels que le repassage, les courses, le rangement, les réparations…

3. Prenez votre temps. L'existence est décidément trop courte pour la vivre aussi vite… Au lieu de chercher à gagner du temps, optimisez-le ! « Tout ce qui n'est pas nécessaire est inutile »… Alors faites les bons choix, il en va de votre responsabilité.

4. Le meilleur moment pour agir, c'est maintenant ! Ne remettez pas à plus tard ce que vous pouvez faire aujourd'hui. Cette façon d'aborder la vie vous permet de la découvrir et de l'aborder en toute sérénité. Moins vous attendez pour passer à l'action, moins votre esprit sera obstrué par ces tâches à effectuer... Donc, plus libre et léger vous vous sentirez !

5. Exprimez... souriez, osez regarder en face, pleurez, riez aux éclats... Refouler ses émotions, ne pas s'autoriser à les vivre en toute liberté, c'est s'inoculer un poison sans le savoir. En libérant de l'endorphine (substance neuromédiatrice du système nerveux central, aux propriétés antalgiques), le rire disperse les craintes, la douleur, l'anxiété, le stress et chasse ainsi la dépression.

6. Donnez, n'attendez pas de recevoir... un sourire, un mot gentil, un comportement courtois, un conseil avisé, un peu de votre temps ! Développez la bonne attitude pour prendre de l'altitude avec ces nouvelles aptitudes...

7. Place au corps : vous cherchez encore le meilleur placement ? C'est vous ! Tout le temps que vous investirez sur vous ne sera que du bonus ! Comme il est bon et salvateur d'épargner son temps... Vous accorder des plages horaires pour l'exercice physique et la pratique d'un sport constitue une des plus sages décisions... Se réapproprier son corps en lui redonnant une place de choix, réinvestir ses appuis, reprendre le contrôle de sa respiration, lui offrir des moments précieux de ressourcement qu'il vous rendra au centuple (la réciproque est aussi vraie...). Paradoxalement, dépenser de l'énergie lors d'une activité sportive en fait gagner… ne serait-ce qu'en provoquant un sommeil plus profond et plus réparateur, un esprit plus clair, un champ de vision plus large… Le relâchement musculaire représente bien souvent un préambule au sommeil réparateur… Un corps trop tendu et sous pression ne récupérera qu'à moitié. Alors dépensez-vous, mettez-vous en mouvement !

8. La nourriture. Trois types de nourriture existent : les aliments et l'eau, l'air plus ou moins sain que nous respirons plus ou moins consciemment et les pensées que nous entretenons, que nous créons… « On devient ce que l'on mange », « Ce qu'il y a dans notre assiette est notre meilleur médecin ». Ces célèbres citations occidentales abondent dans le même sens que l'idéogramme chinois « médicament » qui est le même que pour « aliment ».

Un proverbe oriental nous enseigne de manger le matin comme un prince, à midi comme un marchand et le soir comme un mendiant. C'est exactement l'inverse des habitudes de la plupart de chacun de nous !

S'il vous plaît, quand vous mangez, ne faites que ça ! Ne regardez pas la télévision et ne passez pas de coups de téléphone pendant votre repas. Soyez connecté à vous-même… mâchez lentement et longuement… Les Anciens nous révèlent que les fruits doivent être ingérés une vingtaine de minutes avant le repas pour une assimilation presque instantanée. En fin de repas, ils ont plutôt tendance à fermenter dans l'estomac pardessus les aliments.

Il est déconseillé de boire beaucoup au cours d'un repas car les enzymes servant à la digestion se dissolvent dans l'eau, neutralisant ainsi leur fonction. Les

Asiatiques accompagnent généralement leur repas de thé au jasmin à cause de ses vertus digestives.

9. La sieste instantanée. Apprenez à vous ressourcer dès que vous en avez l'occasion, dans une salle d'attente, dans votre voiture à l'arrêt sur un parking, dans les transports publics… Concentrez-vous simplement sur votre respiration en laissant vagabonder votre mental. Les pseudo-pensées venues de toute part se déverseront dans le vide et se volatiliseront dans l'air.

Bâillez, étirez-vous comme bon vous semble. La relaxation et un sommeil profond sont bénéfiques pour la santé.

10. La méditation Za Zen. L'idéal est de disposer d'une plage horaire un peu plus importante. Asseyez-vous confortablement, en lotus ou en seisha. Immobilisez votre corps, ne pensez plus afin de laisser la place au ressenti. Respirez lentement et profondément. Plus vous expirez consciemment et plus vos muscles se relâcheront pour favoriser la circulation de l'énergie dans tout votre corps. En ralentissant le rythme de votre respiration, vous diminuerez ainsi votre hyperactivité cérébrale caractérisée par un ressac continu d'images et de formations mentales.

Reprenez contact avec votre être intérieur, vous êtes seul maître à bord. Vous êtes le capitaine ! Prenez le cap et tenez bon la barre !

Voir la méditation Za Zen, page 71.

Redécouvrir la respiration

« Respirer, c'est vivre »

La respiration est le flux vital au centre de chaque être, il est donc nécessaire de lui accorder enfin une place essentielle afin de la redécouvrir et de la maîtriser pour la vie !

À la base de la plupart des postures de Yoga, de Qi Gong, d'arts martiaux et de certains exercices psycho-corporels, elle représente le premier élément que j'aborde avant de commencer un massage.

Comment fonctionne-t-elle ? L'air que nous respirons contient de l'oxygène indispensable au fonctionnement de nos cellules (il procure également une oxygénation de substances organiques, réaction qui libère l'énergie dont nos tissus ont besoin). Le volume d'air apporté aux poumons à chaque inspiration alimente tous les réseaux de notre organisme. Une bonne respiration favorise une aération optimale des poumons qui a pour effet de stimuler la capacité de notre corps à faire face aux besoins de nos diverses activités quotidiennes. Pour cela, nous devons absorber unc quantité d'oxygène suffisante, donc respirer correctement !

Mais voilà, que signifie bien respirer ?

La respiration fait intervenir le diaphragme (muscle plat, large et mince qui sépare le thorax de l'abdomen). À l'inspiration, il se creuse en aspirant l'air des poumons vers le bas, ceux-ci se remplissent du bas vers le haut.

Les enfants respirent naturellement par le ventre jusqu'à l'âge de huit ans : c'est la respiration diaphragmatique. Puis le stress aidant, elle devient sous-claviculaire (le diaphragme se creuse pour faire entrer le maximum d'air dans les cavités pulmonaires) ou thoracique (il se soulève à l'inspiration).

Certains d'entre vous respirent à l'envers… ou n'utilisent même pas leur diaphragme, tellement ils respirent superficiellement.

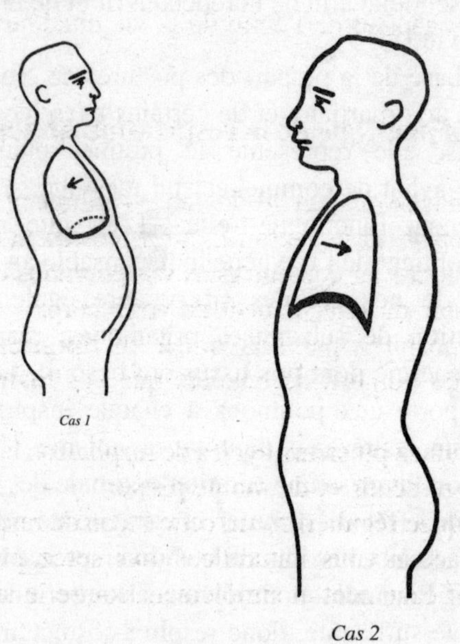

Respirer par le ventre redonne au diaphragme son mouvement de piston naturel, permettant ainsi une capacité respiratoire plus grande.

Comment respirez-vous ?

Dans le *premier cas* de figure, le diaphragme se creuse pour faire rentrer le maximum d'air dans les cavités pulmonaires. Dans le *second cas*, c'est la respiration thoracique où le diaphragme se soulève à l'inspiration.

Réapprenez à respirer par le ventre en rendant à votre diaphragme son rôle naturel !

Voici quelques exercices de respiration, quelques mouvements de santé orientaux et de bioénergie qui vous permettront de vous ressourcer.

Expérimentez-les et envolez-vous en toute quiétude, loin du chaos et de l'écho de la vie citadine.

Mise en pratique de la respiration abdominale

Allongez-vous sur le dos en positionnant vos deux mains à plat sur le ventre. Expirez lentement et profondément tout l'air contenu dans vos poumons en prenant conscience du relâchement de votre corps.

Puis inspirez par l'abdomen en dirigeant l'air au niveau du nombril de manière que vos mains se soulèvent.

Continuez plusieurs cycles de respiration en essayant de plus ressentir et de moins penser.

Pratiquée régulièrement, cette façon de respirer redeviendra pour vous naturelle. Vous serez plus apte à lutter efficacement et simplement contre le stress quotidien.

C'est une excellente manière de se recentrer. Notre centre de gravité se trouve en effet à deux travers de doigts directement à l'aplomb du nombril…

Plus vous respirez par le ventre et plus votre esprit s'apaise. Le calme s'installe alors dans tout votre corps.

Pour une expérience mystique…

Allongez-vous en décubitus dorsal (sur le dos), les bras le long du corps et légèrement écartés avec la paume des mains tournée vers le ciel.

Commencez à respirer par le ventre et sentez votre corps se relâcher progressivement puis s'enraciner dans la terre, dans le sol.

Rentrez légèrement votre menton afin d'allonger le rachis cervical.

Plaquez au sol la région lombo-sacrée tout en relâchant votre bassin. Positionner une serviette roulée sous chaque genou peut vous aider.

Alourdissez vos épaules pour faire se rapprocher sensiblement les omoplates, vos pieds deviennent lourds avec les talons bien enfoncés dans le sol.

L'énergie circule maintenant librement dans votre corps devenu lourd et immobile.

Une variante à cet exercice propose de mettre en tension une zone du corps en même temps que vous inspirez et de la relâcher complètement quand vous expirez.

Vous pouvez commencer par le haut du corps progressivement en décomposant bien toutes les parties : le visage, les épaules, les coudes, les mains… et ce jusqu'aux pieds.

De ce simple exercice découle une agréable sensation d'expansion et de légèreté.

La bougie

Expirez en continu par la bouche en un léger filet d'air... comme si vous vouliez éteindre une bougie. Vos poumons se videront de toutes les petites poches d'air résiduelles.

La respiration à conseiller aux secrétaires et aux employés de bureau

Écartez les pieds de la même largeur que vos épaules.

Inspirez par le nez en plusieurs fois en vous dressant sur la pointe des pieds tout en contractant le haut du corps. Haussez les épaules, poussez le sommet de la tête vers le ciel puis serrez les poings et les mâchoires.

Maintenez l'équilibre quelques secondes tout en restant en apnée.

Relâchez d'un seul coup tout le corps en expirant par la bouche et en retombant sur vos talons. Selon la tradition chinoise, ce relâchement entraîne une vague de vibrations sur tout le corps pour « en chasser les maladies ».

Répétez cet exercice une vingtaine de fois de manière à être dans le mouvement et non plus dans le mental.

Pour baisser votre garde

Allongez-vous, les bras le long du corps, les pieds joints au sol avec les genoux relevés.

À chaque respiration, les doigts vont essayer de chercher à s'avancer le long du corps, tantôt avec la main gauche tantôt avec la droite.

Reprendre conscience de votre dos, partie cachée du corps

Allongez-vous, les bras le long du corps, les pieds joints au sol avec les genoux et le bassin relevés.

Déroulez votre colonne vertébrale au sol, à chaque expiration, apophyse par apophyse.

Au-delà de ce travail respiratoire, vous réalisez un véritable automassage de la colonne vertébrale.

La respiration du cerveau

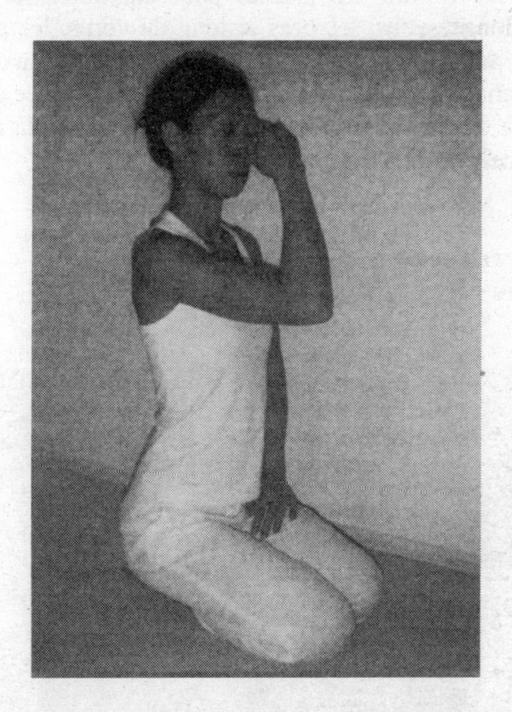

Asseyez-vous de préférence en seisha (sur les genoux, fesses sur les talons).

Utilisez votre main droite avec l'index sur le point hors méridien Ying Tang (au-dessus de la racine du nez entre les sourcils).

Fermez avec votre pouce la narine droite pour permettre une inspiration exclusivement par la narine gauche.

Bloquez votre respiration le temps que le majeur de la même main presse à son tour la narine gauche.

Expirez par la narine droite.

Effectuez ce cycle environ une vingtaine de fois puis inversez l'ordre des narines pour équilibrer les flux respiratoires.

Répétez alors une vingtaine de fois ce nouveau cycle.

Le huit du bassin

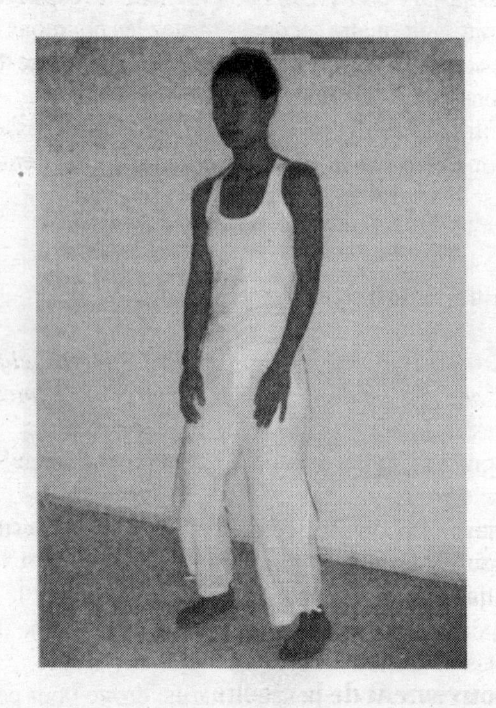

Dans la position d'enracinement, lâchez vos bras le long du corps.

Dessinez un huit avec votre bassin tout en respirant consciemment.

Cette technique est très efficace pour libérer l'énergie du bassin.

Harmonisation de la respiration

Allongé sur le dos, relâchez tout votre corps de la tête jusqu'aux pieds. Puis commencez à respirer.

Inspirez sur quatre secondes, restez les poumons pleins quatre secondes, expirez sur quatre secondes et restez les poumons vides pendant encore quatre secondes.

Continuez ce cycle de respiration tout en ressentant que vous respirez la vie et que cette vie est tenue par votre seul souffle.

Régularisation de la respiration

Pour ceux et celles qui respirent superficiellement et qui ont une tendance à plus inspirer qu'expirer.

Dans la même position que précédemment :

Inspirez sur quatre secondes et expirez dans le même laps de temps.

Inspirez sur quatre secondes puis expirez sur six.

Inspirez sur quatre secondes puis expirez sur huit et ce jusqu'à dix-huit secondes.

Le mouvement de la cloche

Les jambes écartées, inspirez en montant les bras devant et au-dessus de vous, comme si vous vous étiriez le matin.

Expirez en relâchant le buste vers l'avant tout en balançant les bras entre les jambes fléchies, la tête bien relâchée.

Effectuez ce mouvement une vingtaine de fois.

La respiration des mains

Asseyez-vous en seisha, vos mains comme jointes mais espacées d'une dizaine de centimètres, les doigts écartés étant dirigés vers le haut.

Inspirez tout en visualisant le souffle chargé d'énergie positive rentrant par le bout des doigts et circulant jusqu'aux poignets.

Expirez tout en visualisant le souffle chargé de tensions et de fatigue sortant des poignets jusqu'au bout des ongles.

Passé un certain temps, vos mains seront tellement chargées d'énergie qu'elles se rapprocheront l'une de l'autre. Vous sentirez une certaine densité du champ vibratoire créé entre vos mains.

Le dos du chat

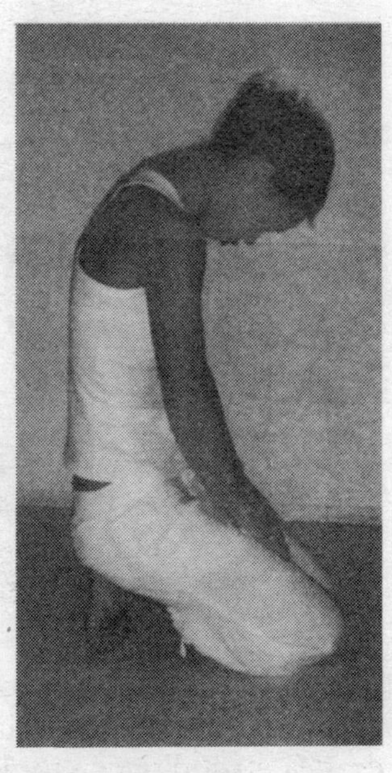

Asseyez-vous en seisha et crochetez vos orteils au sol.

Inspirez en ouvrant la cage thoracique, cherchez bien

à rapprocher les deux omoplates tout en réalisant une extension du rachis cervical.

Expirez en ramenant les épaules vers l'avant, en faisant le dos rond et en fléchissant la nuque.

Cet exercice doit s'effectuer lentement avec une respiration profonde.

En effet, pour faire vivre pleinement votre cœur, il faut que vous lui fassiez de la place.

Le plexus solaire

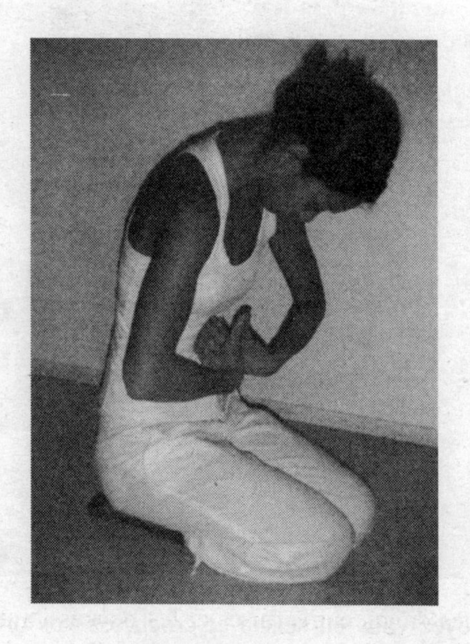

En seisha, crochetez vos doigts sous la cage thoracique au niveau du diaphragme.

Inspirez puis expirez tout en vous penchant progressivement vers le bas.

Vos doigts peuvent ainsi pénétrer dans la zone du diaphragme, souvent tendue, et rentrer en profondeur sur l'expiration.

Respiration de la tortue ou de la longévité

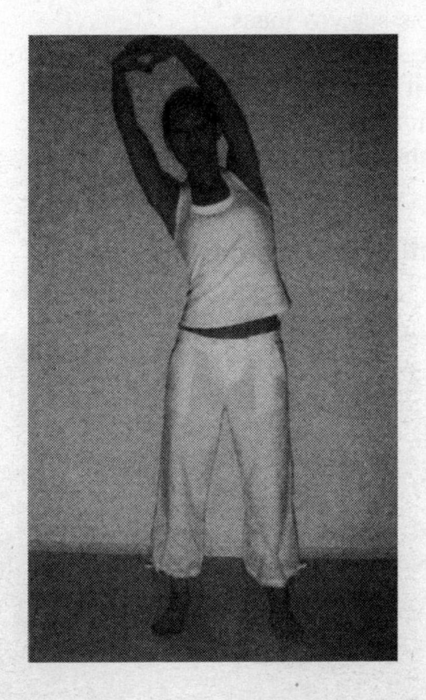

Vous êtes debout, paumes des mains tournées vers vous, les doigts entrecroisés et les pouces joints.

Inspirez en montant les bras devant vous jusqu'au sommet de votre tête.

Contenez votre respiration en réalisant une flexion latérale sur la gauche pour stimuler la rate et le pancréas puis sur la droite pour dynamiser le foie et la vésicule biliaire.

Le mouvement du clown

Pour libérer toutes les tensions du visage, posez les deux mains sur vos joues.

Sculptez-les de toutes les grimaces qui vous passent par l'esprit.

N'hésitez pas à oser exprimer tout ce que vous n'avez jamais pu extérioriser.

Stimulation de la région lombaire

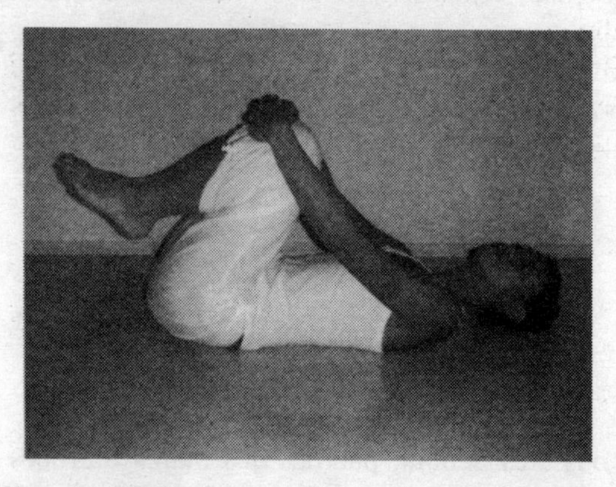

Allongé sur le dos, repliez vos genoux sur votre poitrine et enserrez-les de vos bras. Exercez alors des mouvements circulaires.

Pour revenir au calme et apaiser l'esprit

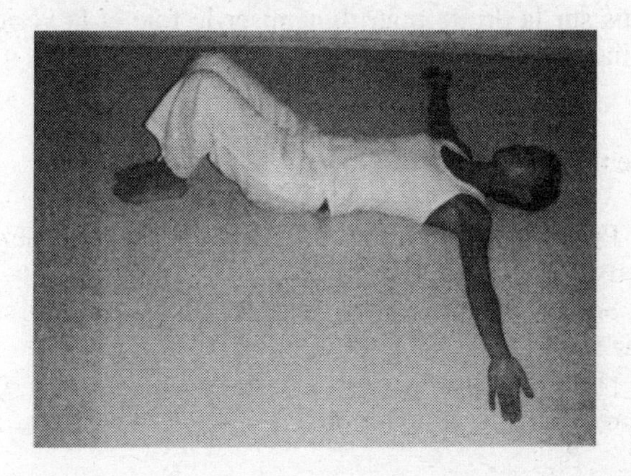

Allongez-vous sur le dos, les bras en croix, les pieds joints et posés au sol.

Inspirez lentement et profondément en gonflant le ventre.

Bloquez votre respiration en comptant jusqu'à trois puis expirez, sans forcer, tout l'air contenu dans votre ventre.

Les étirements

Voici les trois étirements essentiels pour optimiser votre bien-être :

Étirement de l'ischio jambier

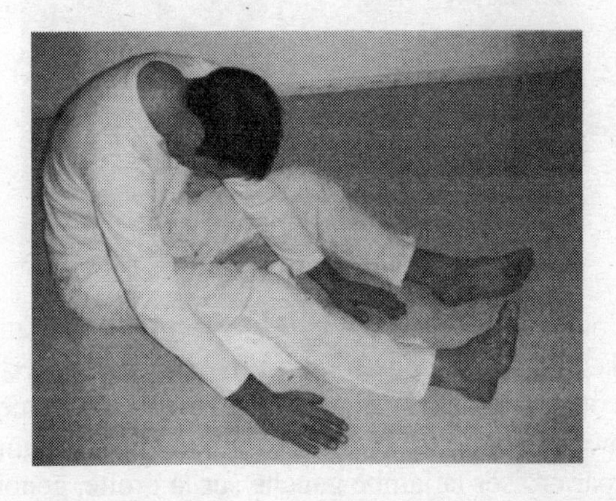

Assis au sol, roulez une serviette et placez-la sous un genou. L'autre jambe est relaxée sur le côté. Vos deux hanches regardent l'avant. Inspirez simplement et expirez par la bouche en rentrant le ventre et en laissant votre buste pencher en avant sur la jambe qui repose sur la serviette. Cette jambe est dans l'axe, tendue avec le pied fléchi qui pointe bien vers le haut. Laissez les bras reposer de chaque côté de cette jambe.

Cet étirement est à effectuer entre cinq et dix minutes jusqu'à ce que les tensions cèdent pour laisser la place à une sensation de bien-être général.

Étirement du psoas et des pectoraux

Vous êtes allongé sur le dos. Fléchissez les jambes, pieds au sol et genoux joints. Vos bras sont ouverts sur les côtés, paumes des mains face au sol. Votre menton pointe vers la poitrine sans effort particulier. Commencez par croiser la jambe gauche sur la droite, genou sur genou. Inspirez puis laissez les deux jambes descendre sur le côté droit tout en tournant la tête sur le côté gauche. Vos épaules restent clouées au sol. Les étirements sont à effectuer sur l'expiration puisque les muscles se relâchent à ce moment. Maintenez l'étirement une vingtaine de secondes tout en respirant lentement et profondément.

Étirement des muscles du dos (paravertébraux)

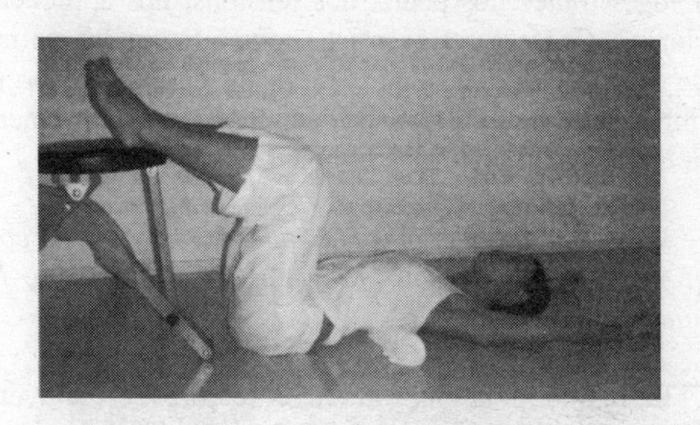

Prenez une petite serviette pour l'enrouler en forme de boudin très serré. Placez-la juste au-dessous des omoplates au niveau de l'attache du soutien-gorge et allongez-vous dessus. Pointez le menton sur la poitrine afin d'allonger le rachis cervical. Laissez reposer vos bras en arrière de la tête de chaque côté des oreilles. Fléchissez les jambes vers la poitrine, genoux joints. Si vous éprouvez une difficulté à fléchir les genoux au-dessus de la poitrine, vous pouvez placer un tabouret sous vos talons. Respirez naturellement, laissez-vous aller, vos tensions disparaissent déjà.

Vous pouvez vivre cet étirement plusieurs minutes selon votre ressenti.

Cet étirement agit directement sur les points du stress correspondant à certains points d'attache de muscles profonds et irradiant jusque sous la nuque, siège des tensions par excellence…

Au-dessus de la serviette roulée se trouve la zone interscapulaire appelée également « zone de trahison ». En effet, nous ne pouvons pas voir ni toucher réellement cette partie de notre corps. Ainsi, notre inconscient va y loger toutes nos peurs, nos tensions, nos appréhensions… Grâce à cet exercice, nous ouvrons les portes de cette zone de blocage et refaisons circuler l'énergie librement dans tout le dos. C'est un excellent étirement de prévention contre les lumbagos…

Voici un étirement pour diminuer les tensions du cou et des omoplates, pour prévenir les raideurs de la nuque :

La nuque, pont entre la tête et le corps, est souvent le siège de multiples tensions. Elle symbolise le passage des idées et la capacité à prendre du recul sur une situation pour être à même de l'analyser sous différents angles. D'où l'importance de pratiquer quelques exercices ciblés pour la soulager et d'adopter une règle de conduite préventive au quotidien.

Asseyez-vous par terre tout simplement. Inspirez en levant les bras en V, votre tête légèrement en arrière. Bloquez votre respiration et tournez la tête à droite puis à gauche. Expirez en baissant les bras.

Les muscles de la nuque vont se détendre ainsi que ceux situés entre le plexus et les épaules.

Effectuez ces mouvements une dizaine de fois, de préférence le soir.

Allongez-vous sur le dos, les bras tendus à la verticale. Étirez-vous comme si vous vouliez que vos mains touchent le plafond. Relâchez-vous.

Cet exercice fait travailler le grand dentelé, muscle du thorax qui s'attache aux omoplates.

Une petite astuce : vous pouvez pratiquer le même mouvement, à l'arrêt, au volant de votre voiture, simplement en poussant sur votre volant.

Un petit remède efficace quand vous êtes sous la douche : avec un gant exfoliant doux, frottez vos trapèzes de haut en bas en exécutant plusieurs allers et retours pendant une minute.

Trois conseils antidouleur

Pour celles et ceux qui souffrent de la nuque au quotidien.

1° Surveillez votre vue. En effet, si vous faites des efforts pour lire ou tout simplement pour voir, vous aurez la fâcheuse habitude d'avancer machinalement votre cou en contractant tous les muscles de la nuque.

2° Ne serrez plus vos mâchoires quand la situation ne le demande pas, et même lorsque c'est justifié. Ainsi vous diminuez considérablement les tensions du cou et du visage.

3° Ne portez plus de cartable ni de sac sur une seule épaule, cela contracte les muscles situés entre les vertèbres cervicales et le pourtour des omoplates. Portez-les en bandoulière à la façon du facteur et changez de diagonale régulièrement dans la journée.

Le Qi Gong

Dans notre société qui prône l'élément visuel, pratiquer le Qi Gong relève presque d'une expérience « mystique » voire héroïque ! En effet, cela signifie prendre véritablement le temps pour aller vers soi-même et découvrir un nouveau monde de sensations et de perceptions.

Le Qi Gong est formé par deux idéogrammes chinois : Qi (Énergie ou Souffle) et Gong (Travail). Le « Travail sur l'énergie » serait né des danses des anciens peuples chinois dont les mouvements spécifiques ont été adaptés par les Taoïstes. Recherchant « l'élixir de vie », ils conçurent des exercices pour que leurs corps soient capables de le sécréter. Selon la légende, ces méthodes leur procuraient une très bonne santé, une longue vie, voire même l'Éternité. Cela leur valut une solide réputation d'immortels. Le Qi Gong est en Chine ce que le Yoga est en Inde.

Cette « gymnastique », plusieurs fois millénaire, est considérée, à juste titre, comme un des trésors de la civilisation chinoise. En effet, elle associe des gestes souples et lents, une respiration consciente très profonde et une concentration dans l'instant présent. Cet art de vivre, comme tous ceux venant de l'Orient, harmonise aussi bien le corps que l'esprit. Mais les mouvements corporels et l'exploration de soi tiennent, ici, une place prépondérante, certaines postures visant à travailler sur un organe ou sur un méridien bien précis, tout en les changeant selon la saison.

Dans un premier temps, le corps reste en apparence immobile pour stimuler la circulation énergétique. L'esprit omniprésent dans le Qi Gong favorise la méditation, le travail sur soi et le contrôle de l'énergie qui, ainsi guidée, sera dirigée vers la partie du corps qui en a besoin. Ce travail sur « l'invisible » mobilise le Qi intérieur tout en respectant la circulation des méridiens d'acupuncture. Privilégiant une meilleure connaissance de soi, il permet la canalisation de notre propre énergie et la gestion de notre état émotionnel.

« La véritable liberté est l'indépendance émotionnelle », déclarait le philosophe Nietzsche.

Vous apprendrez à ressentir toutes les parties de votre corps, en les isolant en pleine conscience pour les réunir ensuite dans une parfaite harmonie.

Vous parviendrez à refaire circuler l'énergie dans vos zones de tension. L'ombre disparaît bien quand on l'éclaire !

Dans cette pratique, on distingue trois grands principes, à savoir :

1° Coordination corporelle : développement de la capacité de la motricité d'ajustement corporel, amélioration des fonctions articulaires et de la détente physique.

2° Respiration et énergie : travail sur la maîtrise de la respiration dans le mouvement ou dans l'immobilité.
3° Conscience et esprit : harmonisation du corps et de l'esprit, maîtrise de la sérénité et ouverture des potentialités.

Le Qi Gong possède la particularité d'être un automassage avec un rituel très précis. Il devient, aujourd'hui, de plus en plus complémentaire de la médecine occidentale allopathique qui commence à l'utiliser dans la période anté ou postopératoire.

La respiration des trois Dan Tian

Dans la position d'enracinement, placez les mains à la hauteur du *ventre*. Les épaules et les bras sont relâchés. Les mains sont face à face, espacées d'une trentaine de centimètres. Inspirez en les éloignant lentement l'une de l'autre, expirez en les rapprochant. Soyez à l'écoute du champ énergétique ainsi créé entre vos mains. Après quelques minutes de pratique, ressentez maintenant le champ créé entre vos mains et votre ventre…

Lentement, les mains vont se déplacer au niveau du *cœur* pour accomplir le même travail mais en interaction avec la zone du cœur.

Les mains se déplacent une nouvelle fois pour se positionner à la *tête* et permettre d'explorer un nouveau champ de perceptions.

Les mains descendent alors tout doucement jusqu'à ce que les bras se relâchent complètement devant vous.

Les bras montent de chaque côté du corps, paumes

vers le haut (le ciel), et redescendent face à vous, paumes vers le bas (la terre). Visualisez alors comme une douche énergétique amenée par vos mains qui balayent votre corps à distance, lentement et consciemment. Les yeux peuvent être fermés pour permettre un plus grand ressenti. Recommencez trois fois.

À la fin de l'exercice, ramenez vos deux mains, l'une sur l'autre, en contact avec votre ventre. Respirez simplement par le nez d'une manière ample et légère.

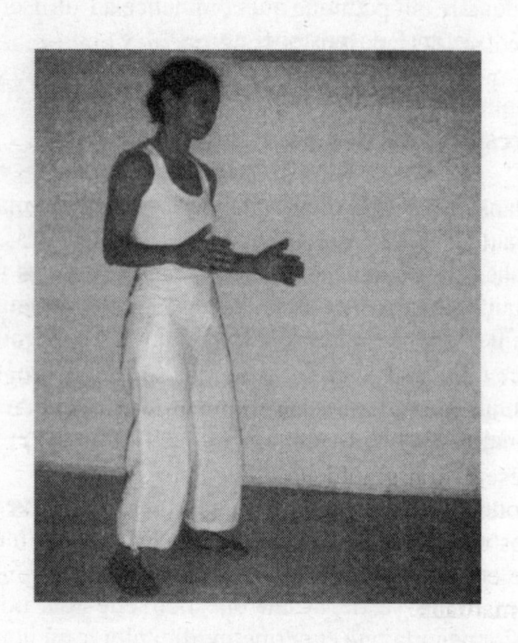

Le Tai ji Quan

Le Tai ji Quan, issu de la Médecine chinoise, résulte d'un grand courant philosophique mené par Chou Touen-yi (1017-1073), le monisme : doctrine selon laquelle tout ce qui est se ramène, sous les apparences de la multiplicité, à une seule réalité fondamentale.

Cet art a longtemps été considéré comme une technique de combat à mains nues. Elle représentait, alors, l'école ésotérique (interne) alors que la boxe Shao-Ling, l'école exotérique (externe). Chou Touen-yi, en introduisant la notion de « principe premier » qu'il nomma Tai Ji, « le faîte suprême », adoucit progressivement cette discipline en éliminant son aspect de combat et de self-défense. On lui doit également la première représentation graphique du célèbre symbole Tai Ji.

Pourtant, l'histoire du serpent et de l'oiseau fut longtemps considérée comme l'unique base de cette discipline et ce jusqu'à une étude récente sur l'origine des arts martiaux.

La légende de Chang San-fong : le Maître des Trois Pics

Cet homme mesurait trois mètres et son physique faisait penser à une grue, oiseau symbole de la longévité. Son visage, à la fois rectangulaire et rond, semblait rempli de bonté. Il portait une longue barbe hérissée telle une lance et ses cheveux étaient fixés en chignon sur le sommet de sa tête. Quelle que soit la saison, il était revêtu d'une tunique de fibres de bambou. Grâce sa taille, il pouvait parcourir cinq cents kilomètres en une journée.

Un jour, pour se fortifier encore plus, il décida d'aller méditer dans un monastère sur la montagne Sseu-Tchouan. Puis, il entreprit un long périple qui le mena sur les montagnes de Chan-Si, de Hou-Pei... étudiant et s'entretenant des livres sacrés avec les habitants. Un jour, au cours d'une méditation de plusieurs heures, il entendit soudain le chant d'un oiseau d'une pureté extraordinaire. Regardant par la fenêtre, il aperçut un oiseau perché sur un arbre fixant un serpent qui dressait sa tête vers le ciel ; leurs regards s'affrontaient. L'oiseau se mit à chanter de plus en plus fort et vola vers le serpent dans le but de l'attaquer. Le serpent s'écarta pour éviter les ailes du volatile ; ce dernier retourna sur son arbre pour reprendre quelques forces et revint de nouveau. C'est alors que le reptile dansa jusqu'à se transformer en un cercle !

Lorsque Chang voulut les admirer encore une fois, ils avaient tous deux disparu. Retournant à sa méditation, il comprit que ces combats représentaient une image, celle de la force et de la faiblesse, de la concentration et de la dispersion, de l'ombre et de la lumière.

C'est ainsi, selon cette légende, que Chang San-fong inventa le Tai ji Quan.

À l'origine, cette théorie se composait de treize méthodes liées aux Cinq Mouvements et aux Huit Trigrammes du Yi King ou Livre des Mutations (voir le massage traditionnel chinois p. 127). Ils régissent respectivement les cinq mouvements des pieds (avancer, reculer, se déplacer vers la gauche, vers la droite et revenir au centre) et les huit des mains (parer, tirer en arrière, presser en avant, repousser, tirer vers le bas, étendre et courber vers le sol, léger coup du coude et coup de l'épaule).

Aujourd'hui, cette méthode est le fruit d'une lente et longue évolution dont les préceptes principaux sont les suivants :

le corps détient une place essentielle,

l'homme doit s'inspirer de la nature en imitant les animaux sauvages et libres comme l'ours, le tigre, le singe et l'oiseau...

l'homme doit pratiquer les arts martiaux et posséder la connaissance des légendes et de la mythologie.

Elle s'articule autour de trois concepts :

– combat à main nue,

– technique d'assouplissement,

– respiration abdominale centrée sur le bas du ventre « le Dan Tian » (champ de cinabre) pour bien faire fonctionner le diaphragme.

Le Tai Ji se pratique en plein air comme une méditation en mouvement, une douce gymnastique où la respiration détient un rôle primordial. En effet, tous les mouvements d'élévation doivent être exécutés pendant l'inspiration et les mouvements d'abaissement, à l'expiration. C'est une chorégraphie complexe où les formes sont symboliques, les rythmes mélodiques et l'exécution cadencée se réalise lentement et profondément. Elle permet à l'homme de vibrer énergétiquement avec la nature et l'univers. Les maîtres utilisent souvent des images pour enseigner leurs arts. Ainsi, l'homme est comparé à un arbre, les racines représentant les pieds et les branches les bras. Certaines positions sont commentées avec des comportements d'animaux : la grue blanche déplie ses ailes, le faisan doré se tient sur une seule patte…

La position du corps pendant cette pratique est essentielle et se présente de la façon suivante :

– La tête est toujours orientée vers le haut mais sans tension.

– Le dos est maintenu verticalement sans être bombé ni creux car il est important de conserver la colonne vertébrale droite entre les cervicales et le coccyx.

– Les épaules, les coudes souples et relâchés sont inclinés vers le sol.

Comme toutes les positions du Tai ji Quan débutent par la taille, les hanches doivent être relâchées.

Les jambes sont légèrement pliées tandis que les pieds sont bien enracinés au sol.

Son objectif ? Délier les muscles, libérer l'énergie de notre corps pour favoriser son harmonieuse circulation. Il stimule consciemment la découverte de soi-même pour nous offrir au monde extérieur. Avec ce nouvel état d'esprit et dans une plus grande liberté, nous devenons créateur de notre esprit dans notre propre environnement de réalités.

Le Tai ji Quan participe activement à l'amélioration de notre santé physique et de notre équilibre psychologique.

Un exercice pour développer votre énergie

Dans la position traditionnelle d'enracinement, levez les mains lentement jusqu'à la hauteur de la gorge, puis poussez devant vous en tendant les bras tout en expirant.

Inspirez en relâchant légèrement les articulations du poignet et du coude. Refaites la même action cinq fois.

Redescendez les bras en cherchant à masser l'air avec la paume de vos mains.

Effectuez ce même mouvement de chaque côté de vous, en gardant bien les épaules basses, puis au-dessus de vous en rentrant le menton pour grandir le rachis cervical.

La méditation assise Za Zen

La pratique du Za Zen est d'une grande efficacité pour la santé du corps et de l'esprit. Pour comprendre ce que représente cette technique, il faut l'expérimenter et rechercher une plus haute dimension de conscience.

Elle constitue un axe d'évolution par sa simplicité et son caractère universel. En effet, les exercices les plus élémentaires nous font aller plus loin. Plus c'est facile, moins notre mental intervient.

En position assise, laissez les images, les pensées, les formations mentales surgir de l'inconscient et passer comme des nuages dans le ciel.

Concentrez-vous sur votre respiration pour obtenir le recul nécessaire et devenir spectateur de vos pensées et autres « perturbations psychiques »…

Le matériel requis

Un coussin, de préférence rond, d'une vingtaine de centimètres de diamètre et de hauteur. Une fois assis, votre coccyx sera placé ainsi à une dizaine de centimètres du sol. Ce coussin, appelé Za Fou, peut être placé sur un tapis de sol d'environ soixante centimètres de côté.

Pour que vous puissiez reposer vos mains, une petite serviette pliée vous sera très utile.

Indications : ce massage doit être appliqué fortement sur la peau afin de faire circuler le sang. Ne soyez ni brusque ni rapide mais simplement conscient de chaque mouvement que vous réalisez.

La respiration et le massage débutent tout doucement pour devenir de plus en plus énergiques.

Vous verrez que le simple fait de respirer et de prendre conscience d'être en vie constitue un vrai miracle. Centré sur vous-même, vous vous sentirez heureux, tout simplement en étant assis, à respirer consciemment.

> « J'ai découvert que tout le malheur des hommes vient
> d'une seule chose, qui est de ne pas savoir
> demeurer en repos dans une chambre. »
>
> Pascal.

La pratique du Za Zen se décompose en trois étapes : l'entrée, la concentration et la sortie.

1re étape : l'entrée

Choisissez un endroit adéquat, propre, dégagé, aéré, calme, loin de l'agitation et du bruit.

Placez votre coussin sur le tapis de sol et asseyez-vous, le coccyx bien en son centre.

Desserrez votre col et votre ceinture pour ne pas gêner la respiration.

Balancez-vous légèrement de gauche à droite afin de trouver le bon équilibre.

Croisez alors les jambes en lotus ou en demi-lotus.

En demi-lotus, la jambe gauche est mise sur la cuisse droite ou inversement.

Les deux pieds peuvent tout simplement toucher le sol.

En lotus, la jambe gauche est placée sur la cuisse droite puis l'autre jambe sur la cuisse gauche.

Tirez votre pied droit vers le corps pour maintenir la jambe droite bien en place.

Placez le dos de la main droite sur la paume gauche ou inversement.

Faites reposer vos deux mains sur la plante des pieds, les pouces se touchant à la hauteur du nombril. Si la plante de pied est trop creuse, comblez-la avec le « repose-mains ».

De manière ample, puis en diminuant progressivement, balancez votre tronc de gauche à droite, puis d'avant en arrière pour trouver le meilleur équilibre.

Sans effort, votre dos doit rester droit, votre menton légèrement rentré et le bout de votre nez se trouve à la verticale de vos pouces.

Vos yeux sont ouverts au tiers, votre vue posée à environ soixante centimètres du sol, votre visage est paisible et votre corps immobile.

Inspirez à fond par le nez, calmement et lentement en imaginant que l'air pur pénètre partout dans votre corps en bousculant tous les obstacles sur son passage.

Expirez totalement par la bouche en visualisant vos maux, vos soucis et les impuretés rejetées à l'extérieur de votre corps.

Faites ainsi trois respirations, d'abord fortement puis de plus en plus doucement.

Fermez ensuite votre bouche, les lèvres et les dents se joignent naturellement.

Placez le bout de votre langue sur la voûte du palais, juste derrière les dents.

Respirez alors régulièrement et doucement par le nez.

2e étape : la concentration

Cette étape comprend trois phases :

– compter les respirations,
– suivre les respirations,
– contempler les pensées.

Phase 1 : compter les respirations

Deux méthodes sont possibles :

– La première consiste à inspirer puis expirer et compter 1.

Inspirez et expirez puis comptez 2 et ce jusqu'à 10. Recommencez plusieurs fois.

– La seconde propose de compter 1 en inspirant et 2 en expirant et ce jusqu'à 10.

Recommencez plusieurs fois.

Important :

Pendant le décompte de 1 à 10, si votre attention diminue au point de ne plus savoir quel chiffre vous avez atteint, vous devez recommencer depuis 1.

Après une pratique régulière, vous ne vous tromperez plus dans le décompte. Vous pourrez alors passer à la phase suivante.

Phase 2 : suivre les respirations

Cette phase consiste à suivre à la trace les respirations.

Inspirez en prenant conscience du cheminement de l'air dans tout votre corps.

Expirez en cherchant à savoir où l'air se dépose.

Prenez conscience de l'impermanence du souffle, de la fragilité de la vie.

Pendant que vous suivez vos respirations, ressentez que la vie est accrochée à votre souffle, qu'elle dépend de votre capacité à respirer.

Soyez conscient qu'expirer sans inspirer entraîne la fin de la vie.

Après une période de pratique suffisante, si vous arrivez à bien suivre vos respirations tout en demeurant concentré, vous pourrez passer à la phase suivante.

Phase 3 : contempler les pensées

Vous ne devez plus suivre les respirations afin de laisser le mental se calmer. Maintenant, contemplez uniquement les pensées qui s'élèvent sans leur porter le moindre jugement.

Ne les laissez pas vous entraîner.

Alors, les pensées apparaissent pour disparaître aussitôt, votre mental intervenant de moins en moins.

Quelle que soit la pensée présente, vous la contemplez telle qu'elle est, sans vous identifier à elle et sans lui porter de jugement.

Pratiquez ainsi jusqu'à ce que les pensées deviennent de plus en plus rares, puis cessent même de se former.

Dans la pratique, tout le corps doit être dans un état paisible, sans crispation ni somnolence.

Veillez à votre position lors de la méditation.

Si vous êtes trop cambré, votre dos peut ressentir une pointe au niveau de la poitrine.

Trop courbé, vous pouvez ressentir une douleur à la colonne vertébrale, au niveau de la ceinture. De plus, ne pas avoir les deux épaules à la même hauteur peut entraîner une douleur à l'une ou à l'autre.

3e étape : la sortie

Avant de sortir de la méditation, vous avez la possibilité, si vous le désirez, de prononcer mentalement un vœu ou de vous fixer un objectif.

Inspirez par le nez puis expirez par la bouche trois fois, doucement puis de plus en plus fort.

En inspirant, imaginez que votre sang accompagne votre souffle et qu'il circule dans toutes les parties de votre corps.

En expirant, visualisez que les maux, les soucis et les impuretés sont expulsés en même temps que votre souffle.

Bougez les épaules de haut en bas et de bas en haut (cinq fois de chaque côté).

Mobilisez votre tête au maximum, de haut en bas et de bas en haut (cinq fois de chaque côté).

Puis, tournez-la au maximum à gauche puis à droite (cinq fois de chaque côté).

Massez la paume et les doigts de chaque main.

Faites balancer votre tronc à gauche puis à droite (cinq fois de chaque côté).

Massez en un mouvement circulaire le visage, les oreilles, le cuir chevelu, la nuque et le cou (vingt fois chacun).

Frottez avec la main droite votre bras gauche, de l'épaule jusqu'au coude tout en massant votre flanc droit avec votre main gauche, de l'aisselle jusqu'à la hanche.

Ces deux mouvements doivent être simultanés et exécutés dix fois.

Frottez avec la main gauche votre bras droit, de l'épaule jusqu'au coude tout en massant votre flanc gauche avec votre main droite, de l'aisselle jusqu'à la hanche.

Ces deux mouvements sont également simultanés et exécutés dix fois.

Placez la paume de votre main droite sur la poitrine et le dos de votre main gauche sur le dos.

Massez horizontalement et simultanément cinq fois la partie supérieure, la partie centrale et la partie inférieure du dos.

Massez circulairement les flancs, les fesses et les cuisses.

Frottez la paume de vos mains l'une contre l'autre afin de les réchauffer. Puis appliquez-les sur vos yeux.

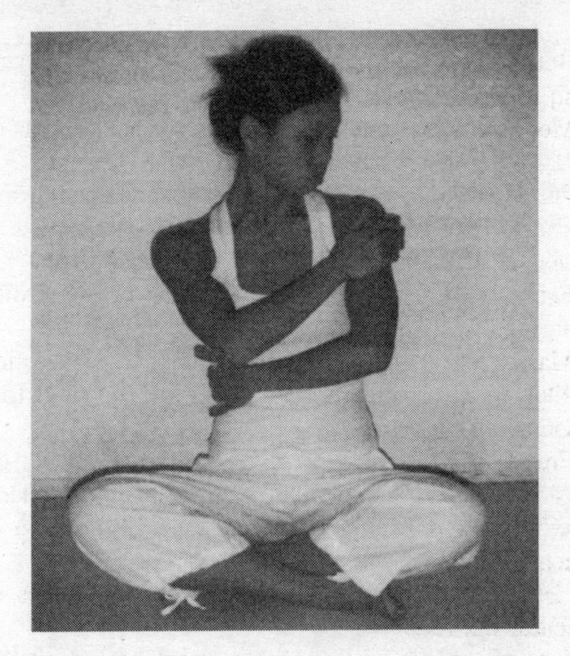

Action à renouveler cinq fois.

Saisissez d'une main vos orteils et de l'autre main la cheville du même pied pour le dégager lentement de la position du lotus.

Déposez doucement celui-ci au sol et massez d'un mouvement continu la jambe ainsi libérée, de haut en bas en aller et retour jusqu'à la voûte plantaire.

Faites de même avec l'autre pied.

Allongez vos jambes et penchez le tronc vers l'avant afin de vous étirer.

Retirez tout doucement le coussin et restez immobile pendant quelques minutes avant de vous relever.

Le Cao Gió

Cao Gió est une technique aussi bien thérapeutique que de confort, comme on le dit de certains médicaments.

Probablement d'origine chinoise, elle est pratiquée par tout un chacun en Asie du Sud-Est et plus particulièrement dans le Sud-Vietnam. D'ailleurs, certains Vietnamiens raffolent de cette technique ancestrale comme moyen de détente et de bien-être.

Ce terme « exotique » signifie littéralement « gratter le vent ». Cette expression peut vous sembler quelque peu étrange si l'on ne se réfère pas à toute une mythologie du corps et de ses relations avec l'environnement. Le vent, ici, symbolise les courants d'air. Selon cette tradition, il en est de mauvais, « Gio dôc », qui provoquent parfois des rhumes, de la fièvre, de la toux, des maux d'estomac, des douleurs musculaires voire des rhumatismes.

Cao Gió permet de faire sortir du corps ces « vents mauvais » afin de rétablir un bon équilibre général. L'efficacité de ce soin pour soulager les maladies fébriles citées plus haut n'est plus à démontrer. Cao Gió combine de manière originale des pratiques traditionnelles également en usage en Europe qui avaient, elles aussi, prouvé leur efficacité avant que celle-ci ait été démontrée : comme les ventouses, les massages avec différents onguents…

On enduit la zone corporelle touchée de différentes huiles médicinales. Par exemple : du Kwan Long Oil (un composé à base de menthol, de camphre et de 0,05 % de chloroforme) ou bien encore du Po Sun On Medicated Oil, appelé aussi Daù Nhi Thiên Duong (une association d'alcool de menthe, de gingembre, de dragons sanguins et de radix glycocholique).

Une fois l'huile bien répartie, on gratte le dos soit avec une cuillère en porcelaine, soit avec le bord d'une ancienne pièce de monnaie, percée au centre, à travers laquelle on fait passer un petit manche en bois. De ce fait, on la maintient mieux lors du frottage qui n'a rien à voir avec une caresse.

On gratte donc de chaque côté la colonne vertébrale, de haut en bas suivant les lignes, de l'intérieur vers l'extérieur, en évitant avec soin toute la zone des vertèbres.

Après une séance de quelques minutes de « grattage énergique », des rougeurs tirant parfois sur le violet apparaissent sur l'ensemble du dos.

On couvre alors soigneusement le patient d'une couverture chaude après qu'il s'est couvert d'un tee-shirt. En effet, après avoir reçu un Cao Gió, on ressent une sensation de « chaud-froid » accompagnée d'éventuelles suées.

La personne est alors invitée à se reposer une nuit complète afin que son corps se ressource paisiblement…

Juste pour rire

Au début du XXe siècle, on riait en moyenne plus de vingt minutes par jour, aujourd'hui on ne rit que sept minutes par jour. Heureusement que certains font remonter la moyenne ! Les enfants éclatent de rire des centaines de fois par jour alors que nous, adultes, seulement une quinzaine de fois.

Scientifiquement, il est reconnu que le rire est bon pour la santé ! Alors, pourquoi s'en priver ?

Stimulant le système hormonal, nerveux et respiratoire, il apporte une aide au cerveau quant à la sécrétion d'endorphine (analgésique naturel) et de sérotonine (molécule du bonheur)… ! Il stimule l'oxygénation du cerveau et provoque un massage des côtes, du foie, de l'estomac et de l'intestin. Une joie profonde et intense se dégage d'un sourire authentique offert avec le cœur. L'origine d'un vrai sourire est-elle un esprit éveillé ? C'est le sourire intérieur. Sans renier les émotions désagréables, ce comportement mental positif permet de mieux les affronter. Les problèmes paralysent et sont à l'origine des mauvaises habitudes émotionnelles. Le rire réduit considérablement le stress, il nous aide à avoir une réflexion plus claire pour chaque situation et nos choix deviennent plus judicieux.

L'humour permet de prendre de la distance face aux diverses situations. En étant moins prisonnier de son image, on relativise l'événement et on facilite l'assouplissement de notre ego. Comme l'humour (utilisé à bon escient) appelle souvent le rire, le corps se détend, la gaieté l'envahit tout entier. Le sourire constitue un capital richesse qu'il faut entretenir au quotidien comme si l'on attisait un feu. Avec quelques petits exercices tout simples, nous pouvons redécouvrir le rire de notre enfance, lorsque l'on s'amusait d'un rien.

N'ayez pas peur d'être ridicule, faites des grimaces devant le miroir en vous souvenant de moments drôles. Quand vous sentez que le rire arrive, amplifiez-le.

Imitez le rire du singe, de la chèvre… exagérez-les.

Le matin, sous la douche, riez sans raison, faites cette expérience et vous intégrerez le fait que l'on est heureux parce que l'on sourit et non l'inverse. « Il n'y a pas de voie pour le bonheur, le bonheur est la voie » (Bouddha).

Vous allez vous apercevoir rapidement que vous riez plus au cours de la journée. Les tracas du quotidien seront plus supportables et vous aurez beaucoup plus d'énergie. D'ailleurs, on dépense beaucoup plus d'énergie à faire la tête qu'à sourire ; nous contractons plus de muscles du visage en fermant l'expression du visage qu'en l'ouvrant.

Alors, travaillez vos zygomatiques !

Nos amies les plantes

À l'aube des temps protohistoriques, l'homme sort de l'animalité. En faisant ses premiers pas dans les vallées, dans les montagnes, dans les plaines et dans les forêts, il se heurte à un environnement hostile. En contrepartie, il découvre cette nature insoupçonnée : l'explosion du soleil dans un ciel épuré par les vents, la senteur de la lavande, la naissance secrète d'une source à flanc de montagne, la grâce des fleurs bercées par la brise…

Ces plantes lui sont directement accessibles, il les cueille, les goûte et les consomme régulièrement. L'homme primitif observe alors les soulagements que lui procurent certaines d'entre elles, s'en faisant des alliées contre les maladies, les accidents, la vieillesse, la mort…

Sortie des cavernes, cette tradition est reprise par les premières civilisations. Des centaines de milliers d'années d'expérience sont alors développées et enrichies. En Inde, en Orient, au Mexique, en Perse, les hommes approfondissent leurs connaissances de la thérapie par les végétaux. Certains leur attribuaient même une âme, d'autres encore des pouvoirs magiques. En

Inde de nombreuses plantes sont considérées comme sacrées et sont associées à des divinités particulières. Shiva, le dieu de la santé, est représenté par des feuilles de bael (plante médicinale encore très utilisée en Inde). En Chine, l'importance de l'herboristerie a dépassé ses frontières et celles de ses pays frontaliers. Toutes leurs universités possèdent au moins un programme de recherches sur les plantes médicinales. Sur chaque continent, l'herboristerie chinoise est pratiquée par des médecins confirmés.

Ainsi, Sumériens, Assyriens, Égyptiens, Chinois, Indiens, Grecs, Romains, les ancêtres des médecins s'appuyaient, avant tout, sur les plantes. Sauge, thym, hysope, belladone, pavot, chanvre indien, racine de mandragore, écorce de grenadier constituaient la base de leur médecine.

Tous les textes en attestent : les herbes sauvages ou aromatiques font partie du quotidien des hommes. Rustre ou raffiné, riche ou pauvre, illustre ou inconnu, chacun attend des plantes le salut de son corps et le plaisir de son palais. Toutes les fonctions naturelles de l'être humain (manger, digérer, se reposer, rêver, aimer, procréer, penser, embellir, communiquer, toucher, masser…) trouvent dans les principes actifs des plantes leurs secours.

Il est temps de recouvrer cette sagesse perdue et de redécouvrir l'univers des plantes qui est le nôtre depuis toujours. Comme le cumin ou l'ortie, nous ne sommes qu'un élément parmi tant d'autres…

La marche

L'homme a commencé à développer son cerveau (ou son esprit) lorsqu'il a su marcher sur ses deux jambes. Il a pu ainsi évoluer en redressant progressivement sa colonne vertébrale, il a conquis son espace naturel par la marche. Il a utilisé ses bras pour récolter les ressources de la terre et créer des objets, contribuant à la construction et à l'évolution des civilisations ainsi que de ses cultures. Au fur et à mesure, la marche est devenue un phénomène qui s'est inscrit dans l'ADN de l'être humain et demeure l'activité la plus naturelle pour le corps.

À la naissance nous pouvons virtuellement tous marcher. Pourtant, il faut nous apprendre à marcher sinon nous ne marcherons jamais. L'enfant désire marcher par imitation d'avec les grands, ce n'est donc pas une action « naturelle », mais bien culturelle ! Expérimentez la marche pour vous libérer du mental… *ça marche* !

Il y a toujours du chemin à parcourir pour se connaître soi-même. Cette exploration est enrichissante car elle nous permet de mieux connaître le monde dans lequel nous évoluons. Communier avec lui, c'est vraiment être heureux.

Pour cela, voici un exercice très facile qui allie marche et respiration :

Inspirez par le nez pendant que vous faites trois pas.

Puis, bloquez votre souffle sur le quatrième.

Expirez toujours par le nez pendant trois nouveaux pas.

Bloquez votre respiration sur le quatrième.

Refaites la même chose tant que vous vous en sentez capable et tant que vous êtes à l'aise, il n'y a pas de limitation de distance.

Vous allez fournir à vos globules rouges et à vos cellules un apport d'oxygène beaucoup plus important. Votre mental qui se met alors au repos vous offre une sérénité intérieure vous permettant de prendre conscience de l'instant présent.

Les balades, les randonnées en pleine nature oxygènent la tête.

En observant attentivement notre milieu, nous comprenons bien mieux ce que nous vivons… La montagne recèle d'incomparables trésors et l'engouement pour s'y ressourcer ne cesse de grandir…

S'octroyer des moments de solitude, de calme dans la journée se révèle salvateur pour son équilibre. Comme se ressourcer dans la nature en se reposant simplement sur une serviette. Un bain de soleil d'une demi-heure tôt le matin ou en fin d'après-midi constitue un des meilleurs médicaments… une fois par semaine.

Méditer régulièrement face à la mer réactive les sens et permet de retrouver un équilibre dans la vie tourbillonnante !

L'eau : Sanitas Per Aquam

La propreté du corps est aussi importante que la pureté de l'âme.

Sans l'eau, aucune vie n'est possible… Le corps humain et la surface de la Terre en sont composés d'environ 70 %. Source de vie, de santé et de vitalité, elle constitue la première nourriture de l'homme. Cet élément qui stimule notre potentiel énergétique nous renvoie à nos origines et nous permet de nous ressourcer.

Ne pas boire suffisamment d'eau conduit à une déshydratation des organes et des cellules provoquant un vieillissement précoce. De plus, les personnes stressées et les personnes âgées éliminent plus d'eau que nécessaire et doivent donc en boire davantage. Un apport d'un litre et demi d'eau par jour est nécessaire au bon fonctionnement de l'organisme…

L'hydrothérapie rassemble les différents traitements utilisant toutes les propriétés de l'eau sous toutes ses formes. En voici les principaux :

Le terme **spa** vient du latin « Sanitas Per Aquam » qui signifie « la santé à travers l'eau ». Comme bel exemple, la ville de Spa en Belgique est une station thermale datant de l'époque romaine... Bien avant les Romains, les civilisations orientales utilisaient déjà l'eau dans leurs « temples du bien-être ».

Les Anglo-Saxons désignent aujourd'hui par le terme Spa un centre de bien-être comprenant une piscine, un hammam ou un sauna ainsi qu'un espace de massage.

Par extension, le Spa peut également désigner un bain à remous appelé aussi « Jacuzzi ». Ce dernier contient de l'eau chauffée entre 37 et 40 degrés Celsius qui est en permanence filtrée, traitée et recyclée. Sa chaleur dilate les vaisseaux sanguins et stimule la circulation sanguine, lymphatique et énergétique dans notre organisme. Les remous, provoqués par injection d'eau ou d'air, génèrent des massages relaxants et stimulants. Ces « massages d'eau chaude » décontractent les muscles, favorisent la circulation du sang, l'élimination des toxines de l'organisme et la récupération après un effort physique. En déliant les fibres musculaires, ils peuvent soulager efficacement les muscles du cou, des épaules, des trapèzes et du dos. Ils agissent favorablement sur les tensions artérielles élevées, les migraines et les douleurs chroniques dues au stress. Les algues, les huiles essentielles et les oligo-éléments ajoutés à l'eau confèrent encore davantage de qualités thérapeutiques à ces bains.

Le **watsu** allie le spa et le shiatsu. Tout comme la réflexologie, le praticien emploie les techniques utilisées pour favoriser la circulation de l'énergie dans le corps. Plongé dans le bain, le patient entre alors dans un état de complète relaxation alors qu'on exerce sur lui des étirements liés aux méridiens ainsi que des mobilisations. Les muscles deviennent plus fermes et plus flexibles.

La thalassothérapie constitue un soin préventif possédant deux grands principes : l'élimination des toxines et la stimulation des grandes fonctions vitales. Elle utilise toutes les vertus de la mer : l'eau de mer, les algues, la boue marine et son argile, le sel de mer... Les bains sont pris à une température de 34 degrés Celsius permettant à la peau de s'étirer et d'absorber tous les minéraux contenus dans l'eau. Les jets d'eau marine stimulent la régénération de l'organisme. Précurseurs d'un bon équilibre biologique, les centres de « thalasso » sont des lieux où l'on réapprend à mieux s'alimenter, à mieux boire et à retrouver un vrai sommeil réparateur.

Le thermalisme utilise l'eau minérale à des fins thérapeutiques dans les domaines de la pathologie rhumatologique, digestive, cutanée, respiratoire et circulatoire des maladies chroniques. Très efficace pour soulager la douleur, il n'en fait pourtant pas disparaître les causes. Un séjour thermal constitue un soin bénéfique ainsi qu'une vraie détente où le corps et l'esprit se ressourcent et s'harmonisent.

Le sauna apaise l'esprit tout en relaxant le corps. La chaleur de ce bain de vapeur purifie l'organisme en lui permettant d'éliminer les toxines. Il est recommandé après un effort physique. Mais attention, il est important de respecter un rituel très précis.

Le premier passage dans la cabine ne doit pas dépasser dix minutes. La chaleur se révélant oppressante lors des premières séances, il est recommandé de s'installer sur le banc du bas où la température est la plus basse. La respiration devient plus profonde, la circulation sanguine se fait plus rapide et dilate les vaisseaux. Les glandes sudoripares sécrètent de l'eau, jusqu'à un litre par heure. Il faut boire beaucoup pendant le temps de repos hors du sauna pour compenser cette élimination. Entre chaque entrée dans le sauna, il faut prendre une douche fraîche, voire même froide. Vous pouvez utiliser un gant de crin pour éliminer les peaux mortes pour appliquer ensuite des huiles essentielles tonifiantes sur votre épiderme.

Le hammam est un bain de vapeur d'origine turque qui offre une chaleur plus humide que celle du sauna. Il favorise la levée des stagnations de sang ou d'énergie pour ainsi éliminer les toxines du corps. Il permet également d'ouvrir les pores de la peau et d'éliminer les cellules mortes par des frictions appropriées. Ce peeling du corps est réalisé avec un gant de crin animal (chèvre…) ou végétal (courges, agaves, palmier…) appelé aussi « kassa ». C'est une douche en profondeur qui vous rend votre peau de bébé en la débarrassant de ses imperfections. Pensez à bien vous hydrater avant et après la séance de hammam. En aidant au relâchement musculaire, il représente un merveilleux complément du massage de bien-être.

Une énergie sexuelle créatrice et épanouie

La médecine chinoise accorde beaucoup d'importance à l'énergie sexuelle (appelée Jing), lui reconnaissant non seulement la fonction de reproduction mais aussi celle de permettre à l'organisme de se ressourcer et d'augmenter ses capacités vitales.

Le Jing est associé aux hormones sexuelles (DHEA) et aux hormones surrénales qui régénèrent l'organisme après un stress physique ou psychique.

Il apparaît dans de nombreux textes médicaux chinois, très anciens, où il est mentionné que cette énergie, qui contribue à la procréation, est la même que celle qui se trouve à la base de tous les métabolismes (transformations de matière et d'énergie dans chaque tissu d'organisme vivant).

De nombreuses techniques ont été mises en place pour préserver le Jing, l'accumuler et le transformer.

Elles se proposent de le canaliser pour le faire monter le long de la colonne vertébrale jusqu'au sommet du crâne pour nourrir le cerveau et stimuler l'expansion de notre conscience (Shen). Selon d'autres traditions, il s'agit de faire monter la Kundalini du bassin jusqu'au sommet de la tête.

Le Jing ainsi sollicité ne va pas être gaspillé mais converti soit pour se soigner (s'il est malade), soit pour être transformé en Shen.

Cette énergie représente une source de créativité importante et doit circuler naturellement dans le corps. C'est pourquoi vivre sa sexualité de façon libre, sans s'arrêter uniquement à sa fonction reproductive et au domaine de la simple et basique pulsion sexuelle, harmonise le corps ainsi que l'esprit.

Pour le comprendre, il faut la vivre et l'expérimenter, que ce soit dans la réalité ou dans vos fantasmes.

Sentez-vous libre d'apprivoiser comme bon vous semble le Jing, celui-ci étant le vôtre. Vous appartenant, il vous anime au quotidien… Ressentez-le de tout votre être en vous connectant à lui.

Faites moins intervenir votre mental pour plus ressentir… lâchez prise…

Si en Orient le concept du Jing est parfaitement intégré depuis des millénaires, en Occident il fallut attendre le XXe siècle et les travaux de Wilhelm Reich (1897-1957), psychiatre et psychanalyste. Celui-ci a mesuré les différences de potentiels électriques à la surface de la peau pendant des relations sexuelles. Pour le Dr Reich, la fonction sexuelle constitue d'abord un système de régulation de l'énergie vitale (qu'il baptisa Orgone) dont l'orgasme est la pièce maîtresse. L'organisme par son fonctionnement même accumule de l'Orgone. Quand ce dernier arrive à un certain niveau de tension, il est important de le faire baisser ; la façon la plus naturelle étant la relation sexuelle (concept aujourd'hui passé dans les mœurs : la libido).

Toujours selon Reich, pour que l'orgasme soit efficace énergétiquement, il doit engendrer le réflexe orgasmique. C'est-à-dire qu'il doit être réalisé pendant un mouvement spontané et ondulatoire entraînant la participation totale du corps en symbiose avec la respiration. Par cette décharge complète ainsi atteinte, une harmonisation et un rééquilibrage énergétique se produisent, tous deux ayant une action favorable sur la santé.

La respiration et l'énergie étant intimement liées, guidez alors le Jing avec votre souffle tout en prenant votre temps. Permettez à cet empire des sens de s'ouvrir pour s'épanouir pleinement. Ne culpabilisez pas de prendre du plaisir et de vous sentir bien. En étant ainsi vous-même, vous inciterez l'autre à faire de même.

Mais peut-être connaissez-vous déjà ces préceptes ou tout du moins les pressentiez-vous. Les mettez-vous en pratique ?

Le Jing, tout autant que la méditation, ne doit pas rester au stade de simple concept intellectuel mais doit être vécu. Il nous fait vibrer dans des plans de conscience plus élevés et plus subtils : nos rapports aux autres, au monde, diffèrent.

La sexualité ne doit pas être une arme pour enfermer son partenaire mais au contraire un moyen de partager des plans subtils et une complicité éveillée. Les époux et les amants devraient bannir l'amour possessif et cesser de se considérer l'un l'autre comme une « propriété » dont on dispose à sa guise.

Aimer, c'est travailler à son bonheur, à son bien-être, pour l'offrir à l'autre.

Combien de fois nous a-t-on demandé si l'on avait « trouvé l'âme sœur » ou bien « rencontré notre moitié » ? L'important n'est-il pas de se rencontrer soi-même véritablement ? De passer du temps avec soi-même pour apprendre à se connaître et à s'apprivoiser ?

En effet, l'autre est là pour compléter notre « entièreté » et non pas pour combler un manque ou une quelconque carence. Un couple, c'est deux ou plus exactement trois. Les deux identités, indépendantes et complémentaires ainsi que l'identité de la relation créée par l'alchimie des deux.

Chaque identité est donc d'abord connectée à elle-même pour pouvoir se connecter à l'autre. Il s'agit bien de deux « entièretés » qui se rencontrent pour construire une relation et non pas de deux « boiteux » qui s'unissent pour le meilleur et pour le pire…

La naturopathie

En guise d'introduction, rappelons ces deux phrases d'Hippocrate :

« Nous sommes ce que nous mangeons. »

« La diététique doit être considérée comme la médication la plus essentielle et la plus puissante. »

La naturopathie, médecine naturelle et holistique, préconise l'harmonie avec la nature, le respect de son organisme et des rythmes biologiques.

Axée principalement sur la diététique, cette méthode thérapeutique préconise le maintien du corps et de l'esprit en bonne santé.

L'alimentation nous apporte l'énergie dont nous avons besoin et, quand elle est naturelle et équilibrée, elle nous confère force et vitalité.

Cette doctrine s'appuie sur cinq grands principes :

– La force vitale :

Le corps peut combattre et stopper la maladie, il détient la capacité innée, appelée « homéostasie », de se maintenir à un niveau de juste équilibre. Bien plus qu'une absence de maladie, la santé se définit comme un état de bien-être global.

– La maladie :

Véritable baromètre, elle permet au naturopathe d'identifier les éléments responsables d'un dysfonctionnement et de stimuler, à bon escient, la force vitale pour les éliminer.

– Le symptôme :

Messager de la force vitale, il nous informe que cette dernière entre en conflit avec la maladie : c'est le témoin de la réaction d'autodéfense de l'organisme. Selon les praticiens, supprimer les symptômes d'une grippe revient à empêcher le corps de s'autodéfendre et donc à l'affaiblir. La vaccination, selon eux, représente une absurdité : au lieu de stimuler les défenses immunitaires, elle procure à l'organisme une accoutumance aux virus.

– La nature :

Le naturopathe, dans un premier temps, prescrit des « médicaments » naturels ainsi que des exercices de relaxation. Puis, il incite son patient à adopter une hygiène de vie plus en adéquation avec la nature.

– La trilogie de la santé :

La santé repose sur trois facteurs essentiels :

- la structure du corps,
- la fonction organique dont l'alimentation équilibrée est le principal garant,
- le bien-être du psychisme éloignant les émotions

négatives souvent à l'origine des tensions somatiques.

Le thérapeute utilise une méthode globale très orientale dans laquelle chaque individu représente un cas unique et reçoit un traitement qui lui est propre. Pour ce faire, le naturopathe dispose de plusieurs techniques : la diététique, les jeûnes et les cures, l'hydrothérapie et l'ostéopathie.

La diététique

L'alimentation constitue l'élément fondamental de la naturopathie. Indispensable à la vie, elle apporte à notre corps tous les nutriments nécessaires pour fonctionner.

Elle doit être naturelle, suffisante et équilibrée pour répondre à tous ses besoins, qu'ils soient énergétiques ou plastiques (renouvellement cellulaire, protection et réparation des tissus lésés).

L'aspect énergétique repose sur trois types d'informations :

1° les besoins physiologiques qui diffèrent selon le sexe, l'âge et l'activité physique ;

2° la classification des aliments selon leur composition en nutriments :
groupe 1 : lait et produits laitiers
groupe 2 : viandes, poissons et œufs
groupe 3 : légumes verts et fruits
groupe 4 : pain, céréales, pommes de terre et légumes secs groupe 5 : matières grasses

3° la notion d'équivalence ou de substitution des aliments entre eux.

Chaque année, nous absorbons de un à trois kilogrammes de pesticides, d'insecticides, de fongicides, d'engrais, de colorants, de conservateurs. Ces molécules chimiques, mal reconnues par notre organisme, sont à l'origine de nombreuses carences en vitamines et en oligo-éléments, de fatigues chroniques, de dérèglements hormonaux, de perturbations générales pour la santé. La nourriture non dénaturée permet d'éviter tous ces problèmes. C'est pourquoi notre assiette se doit d'être composée d'aliments les plus naturels possibles, sans transformation, sans raffinage et sans une cuisson intempestive qui a la fâcheuse habitude d'altérer leurs compositions nutritionnelles.

Bref, vous l'avez compris, notre alimentation se doit d'être biologique, fraîche, colorée, parfumée, tout aussi agréable à regarder qu'à consommer.

Mais la santé et le bien-être dépendent également d'un bon fonctionnement du système digestif, responsable de la bonne distribution des nutriments dans l'organisme.

Lorsque nous prenons un repas, toute une programmation se met en place au niveau du cerveau pour exécuter la digestion correspondante et ce, selon la quantité et la qualité de la nourriture ingérée.

La digestion, processus long et complexe qui dure entre quatre et six heures, mobilise une énergie considérable. Elle se déroule en plusieurs phases (la mastication, la digestion gastrique, la digestion intestinale et la digestion colique) qui vont décomposer les aliments en nutriments qui pourront être utilisés par les cellules.

La mastication constitue une action fondamentale ; c'est dans la bouche, avec l'aide de la salive, que la digestion commence. Alors, s'il vous plaît, mangez lentement et mâchez suffisamment ! Les nutriments sont absorbés dans l'estomac et le gros intestin mais la plupart le sont dans l'intestin grêle. Celui-ci constitue le principal organe digestif et assure le transport des nutriments dans le sang et la lymphe. L'intestin se renouvelle en totalité toutes les vingt-quatre heures, c'est la partie de notre corps qui se régénère le plus vite. C'est dire l'importance que tient cet organe dans notre santé.

Si le repas suivant est absorbé dans un laps de temps trop rapproché, l'organisme n'arrive plus à gérer la digestion en cours. Le cerveau reprogramme, alors, une nouvelle digestion, mais en fonction des paramètres du précédent repas dont les aliments seront bloqués au niveau de l'estomac pour y demeurer en attente. Cette stagnation intestinale occasionne alors des fermentations avec prolifération de bactéries toxiques. Ces dernières migrent ensuite dans les différentes parties du corps occasionnant divers troubles selon la sensibilité de chacun : ballonnements, fatigue, migraines, acné, eczéma, douleurs articulaires, inflammations…

C'est pourquoi il est impératif de respecter un temps de pause entre chaque repas et de supprimer le grignotage, responsable d'allergies chez les enfants sans parler d'infections chroniques à répétition (bronchite, otite, rhinite…).

Ainsi, il est souhaitable de répartir ses besoins alimentaires sur trois repas et de manger à heures régulières dans une atmosphère la plus saine et la plus détendue possible.

Il est important de connaître une catégorie d'aliments

spécifiques car leur digestion s'effectue d'une manière différente des autres.

Il s'agit des fruits, frais ou sous forme de jus, des sodas, des tomates et du miel. Ceux-ci doivent être consommés deux heures avant ou après les repas (vers 11 heures et/ou 17 heures).

Pris en fin de repas, ils ne peuvent être digérés correctement avec le pain, la viande, le riz... À nouveau, il y aura stagnation au niveau de l'estomac avec tout ce que cela peut comporter.

Cette règle qui peut vous paraître anodine donne des résultats des plus rapides et des plus efficaces ; elle évite d'obtenir une acidité très nocive qui « ronge » le système nerveux provoquant une hypersensibilité souvent à l'origine de l'agressivité permanente de certains individus.

Et que penser de tous ces sodas « light » vantés par la publicité ?

Hélas, pas du bien car notre organisme ne fait pas vraiment la distinction entre « le vrai et le faux » sucre. L'absorption de ces boissons « light » occasionne une sécrétion d'insuline (hormone produite par le pancréas) pour assimiler ces soi-disant sucres. L'organisme déclenche, alors, une réaction physiologique sans pour autant avoir la matière à transformer. Ainsi berné, il sera amené à libérer moins d'insuline lors de la prochaine ingestion de sucre et cela, même si la situation en demande beaucoup plus. C'est la porte ouverte à de possibles dérèglements souvent lourds de conséquences.

Le nutritionniste prescrit un régime alimentaire équilibré adapté à chaque patient et qui couvre tous les besoins de l'organisme. Il privilégie les aliments complets (céréales, sucre non raffiné), sans oublier les fruits et légumes et les crudités issus de l'agriculture biologique et conseille les protéines d'origine végétale plus saines que les protéines animales.

Grâce aux crudités telles que les salades vertes, les carottes, le céleri… (sauf les tomates qui sont à considérer comme des fruits), aux protéines végétales (soja, tofu, légumineuses), nous pouvons satisfaire nos besoins en acides aminés pour la conception cellulaire, les neurotransmetteurs en particulier, les hormones…

Les légumes cuits ou crus nous apportent les fibres indispensables au bon fonctionnement intestinal. Quant aux pâtes, riz, pommes de terre, pain, céréales, ils sont nos fournisseurs « officiels » en énergie « olympique ». Les poissons et leur huile participent, entre autres, à la prévention des maladies cardio-vasculaires. Le sucre naturel, principalement le fructose, nous est délivré par les fruits, riches en vitamines et en oligo-éléments.

Face aux nombreuses allergies et intolérances alimentaires, sources de perturbations importantes, le naturopathe supprimera de sa prescription tous les produits à base de lait de vache et de blé. Un régime équilibré n'est pas seulement une association d'aliments comportant tous les éléments nutritifs nécessaires à la croissance et au bon fonctionnement de notre organisme. Les notions de quantité et d'individualité sont aussi à prendre en considération dans un programme diététique. Notions bien difficiles à appréhender dans une société où tout nous conduit à l'excès.

En effet, nous consommons beaucoup trop par rapport à nos besoins physiologiques réels. Pour cela, il suffit d'examiner la taille de nos organes (foie, estomac, intestins, pancréas…) pour comprendre que notre organisme est surchargé et débordé par nos prises alimentaires. Alors, il faut reprendre conscience de notre corps et de ses réels besoins afin d'ajuster la quantité de notre nourriture. Nous sommes tous différents dans notre façon de penser, d'agir, de parler, de bouger, d'aimer et a fortiori dans notre mode alimentaire.

C'est une réelle prise de conscience de notre être profond et de ses besoins individuels qui permet d'atteindre un équilibre alimentaire, source d'énergie et de joie de vivre. Pour cela, de nombreux paramètres entrent en jeu : l'âge, le sexe, les origines, le patrimoine génétique, les habitudes, la situation familiale, le travail… Par la synthèse de ces éléments au moment présent, le naturopathe établit un programme personnalisé qui va permettre de trouver la nutrition adaptée à chacun.

Envisager un régime rigide ne constitue pas la meilleure des solutions. La vérité, c'est l'écoute profonde de ce que nous sommes et de ce dont nous avons réellement besoin pour être en bonne santé.

Bon à savoir

Quand il fait chaud, il est conseillé pour l'organisme de boire chaud plutôt que de boire froid, voire glacé ! En effet, une des fonctions homéostatiques de notre organisme est de réguler la température corporelle en la stabilisant à 37,8°. Si l'on absorbe un grand verre d'eau froide en plein été, notre corps va effectivement se refroidir mais, aussitôt, il va devoir développer tout un mécanisme de réchauffement pour recouvrer sa température initiale. C'est pourquoi les Bédouins du désert ont pour tradition de boire du thé à la menthe en pleine canicule. De plus, cette plante possède des vertus rafraîchissantes.

Boire froid juste avant un repas est une grave erreur !

Cela revient à jeter un seau d'eau sur les charbons ardents de votre barbecue juste avant de déposer vos brochettes. En buvant froid, vous éteignez « votre feu digestif ». La digestion s'en retrouve ralentie ainsi que les fonctions internes de transformation et de transport des aliments ; rétention alimentaire et obésité peuvent alors être observées.

Le sommeil est d'or

De l'importance de bien se reposer, Hippocrate déclarait : « Que ton premier médicament soit ton aliment et ton second ton repos. »

Le repos est considéré, à juste titre, comme un remède tout en étant aussi un acte essentiel de prévention.

La sieste postprandiale est vivement indiquée pour chacun de nous. Seulement une vingtaine de minutes suffit pour en profiter pleinement. La sieste après le déjeuner est fondamentale à plusieurs titres et fait d'ailleurs partie de notre horloge biologique. Notre organisme traverse, entre 13 et 15 heures, un creux de vigilance qui n'est pas dû exclusivement à la digestion. En demeurant immobile, le sang se déplace des extrémités vers le centre de l'organisme, siège de nombreuses fonctions vitales comme celle de la digestion. Cette pause de quinze à trente minutes permet également au mental de faire le vide en laissant aller le flux incessant des pensées. De plus, dormir quinze minutes en tout début d'après-midi équivaut à deux heures de sommeil. Allongé, vous pouvez positionner vos bras à plat au-dessus de la tête, de chaque côté des oreilles.

Cette action facilitera la circulation sanguine au niveau de l'articulation de l'épaule.

Avant de vous coucher et de vous livrer au sommeil, il est nécessaire que vous adoptiez une certaine attitude.

Éloignez-vous des perturbations, des agitations et des bruits de la journée et faites le vide dans votre tête. Vous retrouverez un calme intérieur propice à recevoir les messages de vos rêves… Prenez un temps pour visualiser la journée que vous venez de vivre. Laissez venir les informations telles qu'elles arrivent, sans ordre apparent… Et abandonnez-vous dans les bras de Morphée !

Dormir d'un sommeil réparateur au moins sept heures par nuit est fortement recommandé. Le sommeil constitue un véritable pilier pour notre équilibre tant physique que psychique. Pour les insomnies, il est parfois préférable de ne pas avoir recours à la facilité que représentent les somnifères. En effet, l'insomnie peut dans certaines conditions être considérée comme un messager du corps ou de l'inconscient nous obligeant à faire face à une situation concrète dans notre vie. Taire ce message par une prise médicamenteuse revient à fuir ses responsabilités et à repousser l'échéance de la réflexion. Préférez-lui un bon bain chaud décontractant, un massage énergétique, un temps de partage et d'écoute, une séance de méditation… Ces pratiques effaceront les tensions corporelles à l'origine de beaucoup d'insomnies et favoriseront le sommeil réparateur. Le concours des plantes peut vous être aussi d'une aide remarquable.

Troisième partie

LES CLÉS DE VOÛTE DU MASSAGE DE BIEN-ÊTRE

Les qualités d'un masseur-massothérapeute

Un bon masseur est avant tout quelqu'un en excellente santé, respirant la vie, éveillé, souriant... et en cohérence avec son discours. Sa plus belle carte de visite ? L'énergie qu'il dégage tant par son capital santé que par son comportement.

Il doit avoir une pratique régulière des massages ainsi qu'une expérimentation, quasi quotidienne, des techniques de ressourcement de soi.

Il est important d'avoir les mains chaudes pour transmettre son énergie, son magnétisme et ce, quelle que soit la technique de massage utilisée. En effet, c'est ce que l'on donne à travers les mains qui fait toute la différence.

Un masseur digne de ce nom masse autant avec son cœur qu'avec son corps.

Le cœur au bout des doigts. Être dans le cœur, dans l'intelligence du cœur, permet une authentique connexion avec l'autre et rend la vie quotidienne beaucoup plus humaine.

Donner sans compter grâce à une disponibilité, à une

ouverture de cœur et d'écoute. Avoir une écoute active représente déjà un acte de générosité en soi.

Centré sur lui-même, il peut donner intentionnellement. Être là, présent ici et maintenant, ne pas être seulement là physiquement avec une table de massage.

Bien dans sa tête et bien dans son corps, il est « aligné, vertical » et connecté à lui-même pendant toute la durée du massage pour mieux se relier à l'autre.

Attentif, il fera de son mieux pour aider la personne massée à entreprendre le retour vers elle-même afin qu'elle trouve ses propres solutions.

Il doit montrer un professionnalisme exemplaire, tant dans l'attitude que dans les techniques employées. Il sait reconnaître les limites de ses compétences et peut renvoyer à un médecin ou un masseur-kinésithérapeute qui répondra au besoin du client.

Il doit également :

Avoir une grande souplesse dans la prise de rendez-vous : répondre positivement pour un déplacement même excentré de la ville, tôt le matin ou tard le soir. Bref, posséder une disponibilité à toute épreuve pour s'adapter à la demande de la clientèle.

Être ponctuel et d'une grande discrétion.

Avoir les mains propres et une bonne hygiène de vie en général, sans excès.

Optimisez les bienfaits de votre massage

Voici quelques conseils pour optimiser l'intervention de votre masseur à domicile :

Une vingtaine de minutes avant le rendez-vous,

créez-vous un espace de transition physique et psychologique.

Une « bonne douche » s'impose ! Au-delà de la propreté du corps, c'est la meilleure façon d'embarquer pour le voyage intérieur qui vous attend.

Un véritable massage dure plus d'une heure… accordez-vous cette plage horaire. Préférez le recevoir en fin de journée après avoir cessé toute activité. À moins que vous n'ayez choisi de ne pas travailler de la journée, alors libre à vous de le planifier en fin de matinée.

Faites du lieu de massage un espace calme, chauffé, bénéficiant de préférence d'une lumière tamisée. Une musique de relaxation peut aussi être appréciable comme fond musical.

Évitez de manger juste avant votre séance de massage. Ne buvez pas trop non plus, ainsi vous ne devrez pas rester en alerte pour retenir votre vessie alors que les bienfaits du massage se font ressentir.

Plus votre propension à recevoir sera grande et plus le massage vous sera bénéfique. Les yeux fermés, laissez-vous aller au ressenti, sans vous sentir obligé de parler et connectez-vous à votre respiration profonde.

Aussi, pour profiter au maximum des bienfaits du massage, il serait judicieux de vous octroyer du temps libre, de prévoir un moment privilégié après votre séance pour apprécier un thé ou une infusion ainsi qu'une collation si besoin est. Il est important de boire après une séance pour drainer les toxines libérées pendant le massage. Prenez un bain, laissez-vous aller à la lecture, observez vos pensées, ressentez votre respiration, écoutez de la musique, promenez-vous… bref, continuez à vous reposer.

Inscrire le massage dans son hygiène de vie demeure le meilleur moyen d'en ressentir tous les bienfaits. Il est idéal pour établir d'harmonieuses relations humaines, essentielles pour une bonne santé.

Vous allez découvrir une nouvelle relation avec votre corps. Tout en l'appréciant de plus en plus, vous apprendrez à le respecter sans plus le considérer comme une mécanique qu'on utilise jusqu'à la panne… En accordant à votre corps toute l'attention qu'il mérite, vous pourrez lui faire confiance, optimiser votre bien-être et retrouver votre sourire intérieur.

Les cinq préceptes de base du masseur

Premier précepte

Avant d'intervenir sur l'autre, travailler tout d'abord sur soi.

Pour vraiment apporter quelque chose à son prochain, il me semble évident qu'il faut être capable de se nourrir de sa propre présence en apprenant à être bien tout seul, face à soi-même.

Il me paraît juste de procéder, au préalable, à un cheminement d'introspection et de recherche intérieure. Le masseur devra être au clair avec lui-même pour prétendre apporter une dimension professionnelle au massage. Rempli d'énergie positive et sereine, il peut offrir de bonnes ondes à travers le massage.

Deuxième précepte

Le toucher n'est pas un acte anodin et l'on se doit, par respect de la personne, d'être le plus précautionneux possible.

Il peut déclencher de vives émotions plus ou moins enfouies, voire même douloureuses.

Le masseur doit être présent, ici et maintenant, pour les recevoir et les percevoir le plus justement possible.

Toucher un corps implique une grande responsabilité et un accompagnement dans la joie comme dans la souffrance. La confiance que nous donne le client en nous livrant son corps doit être respectée.

Troisième précepte

Le masseur doit avoir fait l'expérience du massage en tant que receveur.

Pour ce faire, il devra être passé dans les mains de plusieurs massothérapeutes pour connaître le véritable ressenti des clients sur les massages qu'il prodiguera. Ce ressenti accompagné des propos des « confrères » qui l'auront massé me paraît d'une importance considérable pour son développement tant personnel que professionnel. Ce bout de chemin vers lui-même lui fera gagner, en plus, la compréhension de son moi profond.

Alors seulement son positionnement face à l'autre deviendra plus centré, plus en accord avec lui-même et avec ses prédispositions intrinsèques.

Ses actes seront pesés, justes et plus efficaces, ils interpelleront son entourage de par l'énergie qui s'en dégagera.

Quatrième précepte

Les pseudo-masseurs se positionnent facilement dans le pouvoir ou dans la séduction.

C'est un danger, malheureusement bien réel, qu'il faut sanctionner sans demi-mesure !

Rappelons que nous devons rester dans la neutralité la plus complète et ce, quelle que soit l'attitude développée en face, consciente ou pas.

Cinquième précepte

Développer une écoute active et personnalisée.

Pour être à l'écoute des autres, il est nécessaire d'avoir été à sa propre écoute, voire même entendu par un thérapeute spécialisé.

Je cite souvent l'exemple de la penderie : « Lorsque vous videz votre penderie, vous vous débarrassez de certaines affaires. Alors, plus vous la videz et plus vous laissez de la place pour recevoir de nouveaux vêtements. »

Dans l'écoute, cela fonctionne de la même manière, vous avez besoin d'avoir été écouté (et entendu) pour être à votre tour capable d'entendre et de recevoir. C'est une véritable discipline que d'être à l'écoute de l'autre.

Beaucoup ont tendance à n'écouter que ce qui les intéresse, alors que l'essentiel se trouve souvent ailleurs, dans quelques mots exprimés ou mis en image.

Techniques conduisant au lâcher prise

Le massage se fait à deux ! Un bon massage s'obtient grâce aux qualités d'un masseur professionnel et à la faculté de « lâcher prise » du receveur. C'est la juste alchimie des deux puisque le massage est un partage, un échange d'énergie.

Voici quelques clés du massage de bien-être :

Phase d'installation

Pour recevoir tous les bienfaits du massage, le corps doit être relâché. Le praticien en prend le plus grand soin dès son installation sur la table de massage. Lorsque la personne est allongée sur le dos, il veille tout d'abord à ce que sa tête ne soit pas trop en arrière, en extension. Pour cela, il place une serviette sous l'occiput et repose la tête tout doucement avec le menton qui pointe la poitrine (le rachis cervical s'en trouvera grandi). Un petit coussin sera logé sous le creux poplité des genoux pour plaquer les lombaires sur la table… une éventuelle cambrure pouvant provoquer une gêne, voire même une douleur.

Harmonisation des respirations

Il invitera son client à respirer lentement et profondément par le ventre pour qu'il soit plus réceptif au massage. L'essentiel étant de se concentrer sur son rythme de respiration pour oublier le flux de pensées. Après quelques respirations, il pose ses deux mains chaudes (chargées d'énergie), l'une sur le ventre et l'autre sous les clavicules. Par ce geste, il sollicite plus facilement une respiration abdominale. Quand le patient inspire, la main du masseur devient plus légère sur le ventre et quand il expire, elle se fait plus lourde. Après quelques minutes de respiration consciente, son rythme se ralentit pendant que son amplitude augmente.

Le souffle se pose, le calme s'installe et la confiance s'instaure : le massage peut alors commencer...

Un toucher en continu

Il est très important de garder un contact permanent avec le patient pendant toute la durée de la séance. Son corps, souvent morcelé, retrouvera son unité par cette continuité des gestes et leurs enchaînements progressifs. Aussi, les mains devront savoir épouser les formes, les lignes et les courbes du corps pour lui témoigner une attention de chaque instant. Compris et reconnu, le corps pourra se relâcher en toute confiance.

Un rythme régulier

Le rythme avec lequel le masseur « dessine » les mouvements participe aussi au bon déroulement du soin. Plus ses gestes sont lents et moins le mental de la personne sera capable de suivre le protocole. Inversement, si les mouvements deviennent trop rapides, le mental réapparaîtra au détriment de la relaxation corporelle.

Silence, on masse

Évidemment, moins le bruit sera présent pendant le massage, moins la sentinelle du psychisme sera en alerte. En effet, le mental raffole de l'agitation, des actions saccadées et des bruits en tout genre. Le professionnel veillera à couper tous les téléphones, à se déchausser (avant de se laver les mains !) et à ne pas engager de conversations pendant la séance.

L'option musicale

Selon l'envie et les goûts du client, une petite musique de fond aidera souvent à faire lâcher plus facilement son mental. Cela peut être un morceau de musique classique, de la cithare indienne, de la flûte japonaise, des chants (tibétains, grégoriens, indiens…), des mantras ou simplement des sons de la nature.

Quatrième partie

LE TOUR DU MONDE DES MASSAGES

Le massage traditionnel chinois

Ce massage tire sa source des principes de la médecine traditionnelle chinoise dont l'origine est enfouie dans la nuit des temps.

On a découvert des aiguilles de pierre utilisées pour l'acupuncture datant du IIIe millénaire avant J.-C. Les premiers écrits médicaux sont attribués à l'Empereur Jaune, reconnu comme le fondateur de la médecine chinoise. Traditionnellement dans la philosophie chinoise, l'empereur, possédant le pouvoir suprême, devait apporter à son peuple la paix et le bonheur. Lorsque celui-ci ne pouvait plus tenir son rôle de « garant » du bien-être, son titre était donné à un autre responsable. Autrement dit, la position d'empereur ne représentait qu'une fonction attribuée et les positions inférieures servaient l'empire dans sa totalité.

Cette médecine traditionnelle soigne encore un patient sur dix dans le monde.

Cette méthode de diagnostic et de soins provient des huit trigrammes représentant les piliers du taoïsme. Ces derniers sont révélés pour la première fois dans un des plus anciens livres de sagesse du monde : le Yi Jing, le Livre des mutations (1122 av. J.-C.).

À l'origine, dans le Tao (voie, chemin) tous les êtres devaient vivre en parfaite symbiose avec la terre et en respectant les rythmes naturels. Ce que l'on retrouve d'ailleurs dans toutes les mythologies, quelle que soit leur origine !

Les huit piliers du taoïsme

1. Le Tao de la philosophie, de la psychologie, de la religion, de la mythologie et de la méditation de la médecine chinoise.
2. Le Tao de la revitalisation, de la concentration et de la méditation, de la respiration Yin et Yang, de la petite et de la grande circulation.
3. Le Tao de l'alimentation équilibrée.
4. Le Tao des plantes médicinales oubliées.
5. Le Tao de l'art médical et de l'art martial.
6. Le Tao de la sagesse sexuelle et de l'amour.
7. Le Tao de l'autodiscipline, de la numérologie, de l'astrologie et du Yi Jing.
8. Le Tao du dessin formé, géomancies, Feng-Shui.

En Chine, il est primordial de maintenir l'équilibre entre le Yin et le Yang tant au niveau des organes qu'au niveau de la circulation du Qi (énergie vitale) présent dans tout notre corps et circulant par des canaux virtuels, les méridiens. Ces derniers permettent de relier les extrémités (doigts et orteils) aux organes.

Mise au point il y a quatre mille ans, la théorie des méridiens, très complexe, n'est pas toujours acceptée par la médecine occidentale, « ces rivières » d'énergie restant invisibles à l'œil de la science.

Douze méridiens symétriques et deux méridiens du tronc parcourent l'organisme selon un itinéraire très précis. Ils servent de liaison entre les organes, les viscères et les tissus. Chacun d'entre eux correspond à une fonction : digestion, respiration... d'où leur nom, méridien du foie, méridien des poumons...

Le Qi possède deux polarités, le Yin et le Yang, certains méridiens sont Yin, d'autres Yang. Rien n'est entièrement Yin ou complètement Yang, mais plutôt Yin ou plutôt Yang par rapport à un référent.

Le Yin représente le côté féminin, les organes internes du corps, il reçoit et engendre. Il est considéré comme l'origine de la vie. L'excès de Yin provoque des refroidissements.

Le Yang représente l'aspect masculin, la surface du corps, les muscles, les tendons, il crée, explose. Il est appréhendé comme la racine de la santé et de la longévité. L'excès de Yang cause de la fièvre.

Lorsque le Qi circule harmonieusement, nous sommes en bonne santé physique et morale, corps et esprit sont alors parfaitement liés. En revanche, quand l'énergie se retrouve bloquée à une intersection de méridiens, en excès ou en manque dans tel autre, des dysfonctionnements apparaissent dans le corps.

La maladie n'est pas ici considérée comme une affection localisée, mais comme un déséquilibre général, la santé résultant de l'équilibre global de l'être humain, à la fois psychologique et physiologique.

La vision occidentale a tendance à considérer le corps comme une machine constituée d'éléments indépendants, susceptibles d'être réparés séparément des autres. Autrement dit, c'est la conception même de la médecine qui diffère, les Chinois privilégiant la santé dans toutes ses dimensions. Ils aident leurs patients à préserver leurs états de bien-être, alors que nous n'intéressons nos thérapeutes qu'à l'instant où nous sommes malades. Alors que le médecin occidental se repère à la circulation sanguine, le thérapeute chinois se fie à la circulation du Qi et du pouls. En Chine, ce dernier se prend sur la face antérieure du poignet et compte six points s'étudiant à deux niveaux différents de profondeur. Cela constitue, par poignet, douze pouls qui correspondent aux douze méridiens symétriques. Avec ces indications et la théorie des cinq éléments (que nous allons voir ci-après), le praticien choisira la thérapie adéquate : le massage, l'acupuncture, la méditation, le Qi Gong ou les plantes médicinales. Avec la recherche de l'équilibre du Yin et du Yang, la théorie des cinq mouvements constitue un aspect important de la médecine chinoise. Elle montre comment l'énergie passe d'un état à l'autre et comment elle se manifeste physiquement.

Son rôle est de conserver l'harmonie de l'organisme dans son ensemble. Dans la philosophie taoïste, le souffle de vie est présent dans les êtres animés, dans les choses inanimées, dans le creux de la main comme au fin fond de l'espace.

Les cinq éléments sont le bois, le feu, la terre, le métal et l'eau ; ils sont mouvements ou transformations. Ils s'engendrent et se contrôlent mutuellement pour assurer l'équilibre du processus biologique. Contenant du Yin et du Yang, ils sont en relation avec les saisons et les organes. Ils possèdent des propriétés qui influencent les relations entre les émotions et les parties du corps.

Les cinq mouvements

La théorie des cinq mouvements, appelée aussi loi des cinq éléments, est un concept complémentaire de la théorie du Yin et du Yang. Cette théorie constitue une représentation abstraite des cinq états par lesquels passe tout le processus de transformation dynamique du Yin et du Yang, au sein des manifestations concrètes de la nature.

Le bois est lié aux fonctions actives de la croissance. Il correspond au foie, à la vésicule biliaire et au printemps.

Le feu représente les fonctions ayant atteint leur apogée et qui sont prêtes à décliner. Il correspond au cœur, à l'intestin grêle, à la circulation, à la sexualité, au triple réchauffeur et à l'été.

La terre, associée à l'idée de neutralité et d'équilibre, constitue le centre des cinq éléments. Elle correspond à la rate, à l'estomac et à la fin de l'été.

Quant au métal, on lui attribue les fonctions en déclin. Il correspond aux poumons, au gros intestin et à l'automne.

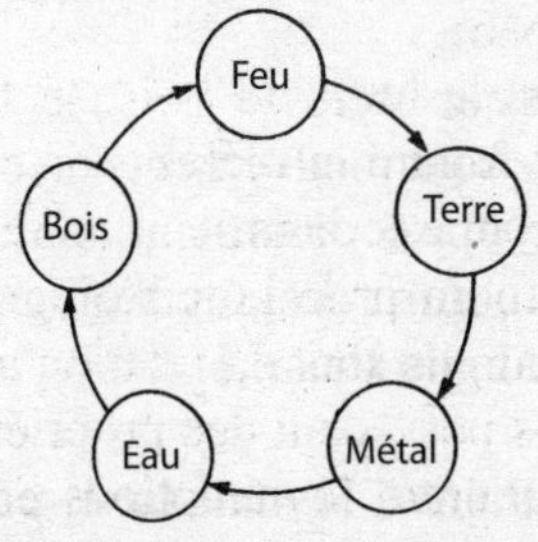

Cycle d'engendrement (Sheng)

L'eau représente les fonctions qui ont décliné mais qui sont prêtes à renaître. Elle correspond à la vessie, aux reins et à l'hiver.

Les changements dynamiques des cinq mouvements de la nature ne s'effectuent pas de manière indépendante, mais au contraire sont liés par des rapports d'engendrement et de limitation réciproque.

- L'eau donne la vie à la végétation (bois).
- Le bois, en brûlant, produit le feu.
- Le feu consume le bois le réduisant en cendres (terre).
- La terre produit le métal.
- Le métal en fondant devient liquide (eau)

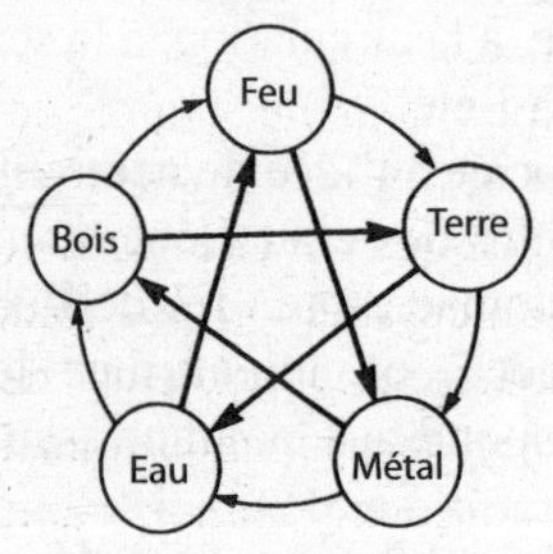

Cycle de contrôle (Ke)

- L'eau éteint le feu.
- Le feu fait fondre le métal.
- Le métal coupe le bois.
- Le bois se nourrit de la terre.
- La terre endigue l'eau…

Pour se soustraire à la maladie et parvenir au terme de son espérance de vie, l'homme doit se soumettre au Tao afin de vivre en harmonie avec son environnement.

S'appuyant sur une conception globale de la personne et sur l'application de traitements selon les syndromes, le massage traditionnel chinois répond aux principes de la théorie médicale chinoise. Celui-ci remonte aux environs de 440 av. J.-C., date à laquelle apparaît l'ouvrage chinois *(Huang Di Nei Jing)* dans lequel le terme « massage » figure pour la première fois. Il débloque et rééquilibre les polarités Yin-Yang, les énergies du corps provoquant des changements biophysiques et biochimiques.

Ce massage suit la direction des méridiens et des points d'acupuncture (notre organisme en possède environ 365), obéissant à une théorie bien précise. Il prend en considération le vide, le plein, le froid, le chaud, l'interne, l'externe…

Cette discipline manuelle stimule la résistance aux maladies fébriles les plus courantes (rhume, céphalée, oppression thoracique…), elle permet de traiter les névralgies dites incurables et les maladies d'origine souvent psychologique (douleur de dos, stress, angoisse, insomnie) très répandues en Occident.

Le massage traditionnel chinois compte quatre types de soins bien distincts :

– le massage de relaxation Pu Tong An Mo appelé massage général,

– le massage Tui Na qui soigne les traumatismes et certaines maladies,

– le massage Dian Xue An Mo (pressions des points d'acupuncture) qui traite la maladie due aux déséquilibres du Qi,

– le massage Wai Qi Liao Fa qui soigne le patient par le Qi du masseur.

Le Pu Tong An Mo (la main qui effleure pour donner la sérénité)

Massage de confort, communément appelé « massage de relaxation », il prévient l'installation de la maladie par une meilleure circulation sanguine et énergétique.

Cette technique simple consiste à masser plutôt superficiellement. Elle favorise le relâchement physique et mental, élimine la fatigue et retarde le processus de vieillissement. Elle s'adresse plus particulièrement à ceux qui ressentent de la fatigue, aux personnes convalescentes ou à celles qui connaissent des problèmes d'élimination des liquides.

Adaptable à chacun de nous et répondant à notre mode de vie actuel, il demeure idéal pour toute personne désireuse de se maintenir en forme à tout point de vue.

Le massage Tui Na (pression linéaire, pousser et saisir)

Avec les doigts, les paumes, les coudes, les pieds, on exerce une pression et un frottement circulaire sur les points douloureux et sur les tissus du corps. Cette technique stimule une tonification (Bu) ou une dispersion (XIe) tant au niveau de la circulation sanguine que du Qi.

L'effet XIe diffuse l'énergie et relance la circulation tandis que l'effet Bu ramène le Qi là où il fait défaut.

Ce massage mobilise les articulations raidies et réchauffe certaines parties du corps, influençant par la même occasion les organes internes. Il traite tous les déséquilibres externes et internes par le travail dans certaines zones et dans des méridiens (ces derniers, par leurs trajets, agissent directement sur les organes). Il est idéal pour soigner les traumatismes des sportifs mais aussi pour soulager les personnes dont l'activité exige une gestuelle répétitive tels les violonistes, les danseurs (sciatique, lombalgie, tendinite, entorse…).

Dans un premier temps, on décontracte les vertèbres et les articulations, puis ensuite les muscles, en effectuant un travail tout en profondeur.

Le Dian Xue An Mo, massage pour traiter les maladies dues aux déséquilibres du Qi, serait à l'origine du shiatsu (technique japonaise).

On utilise des techniques de pression et de frottement essentiellement sur les points d'acupuncture qui vont favoriser la circulation énergétique, soit pour stimuler les organes soit au contraire pour les calmer.

On a découvert qu'il existe cent huit points permettant l'accès aux méridiens par simple pression des doigts. Encore plus pénétrant que le Tui Na, ce massage est fortement déconseillé aux enfants car il pourrait léser leurs organes internes.

Le Wai Qi Liao Fa, ou Qi An Mo, soigne par la connexion du Qi du praticien avec celui du patient.

Sans contact direct avec la peau, le « masseur » déplace ses mains au-dessus du corps du patient en concentrant sa propre énergie dans la paume de ses mains. Avec cette « impulsion », le patient rétablira lui-même une bonne circulation de l'énergie. En fait, tout le monde peut se soigner avec sa propre énergie, à la seule condition d'avoir fait, au préalable, un sérieux travail sur soi.

La médecine chinoise est aussi à l'origine d'autres techniques comme le Qi Gong, le Tai ji Quan ou le shiatsu.

L'automassage

La digitopuncture (Dao Ying) fait partie de la grande famille des médecines naturelles telles que l'acupuncture, l'homéopathie, la phytothérapie, la diététique... Elle est aussi tout à fait complémentaire de la médecine occidentale allopathique, utilisée dans la période anté ou postopératoire.

Aussi, depuis la nuit des temps, l'automassage représente le premier geste de traitement. Considéré comme un acte instinctif, réflexe, physiologique et naturel d'autosoulagement, il constitue aussi un temps privilégié de méditation pour la connaissance de soi, la recherche de paix et de conscience pour notre corps et notre esprit.

Prendre le temps de s'occuper de soi-même est un acte d'amour intérieur et incontournable pour qui prétend vouloir s'occuper des autres.

L'automassage agit sur la peau et le tissu conjonctif, sur la circulation sanguine, la circulation lymphatique, les viscères, les glandes endocrines, le système musculaire, le système nerveux cérébro-spinal et le système nerveux végétatif.

De par sa simplicité, son innocuité et son efficacité,

l'automassage est pratiqué par le peuple chinois depuis des millénaires. Le principe est d'exercer une pression des doigts sur des points d'acupuncture possédant des fonctions thérapeutiques afin de soulager, améliorer, voire guérir la plupart des affections courantes. Prouvées scientifiquement, ces techniques exercent une réelle influence sur la prévention des maladies et l'amélioration de la santé.

Longtemps tenues secrètes, ces méthodes de préservation de la santé et du bien-être sont maintenant reconnues et pratiquées en public. Nous découvrirons ensemble ces mouvements simples et efficaces pour entretenir son capital santé au quotidien.

Nous expérimenterons donc les automassages visant à soulager les problèmes de dos, les maux de tête, les jambes lourdes, le stress… et à améliorer la circulation sanguine, la digestion, le sommeil, la concentration et la respiration…

Indications :

L'automassage doit être appliqué fortement sur la peau afin de stimuler la circulation sanguine. Ne soyez ni brusque ni rapide mais simplement conscient de chacun de vos mouvements pour faire rentrer l'énergie progressivement dans votre corps.

Fouillez chaque petite cavité des articulations se trouvant entre les tendons et les muscles en « faisant la chasse » aux petites douleurs…

Le Do in se pratique de préférence assis en « seisha » (sur les genoux avec les talons sous les fesses) ou en tailleur. Mais aussi debout, ou encore couché.

Observez un temps de silence avant et après la pratique de l'automassage. Ce temps de concentration permet de se recentrer tout en respirant consciemment.

Travail des mains

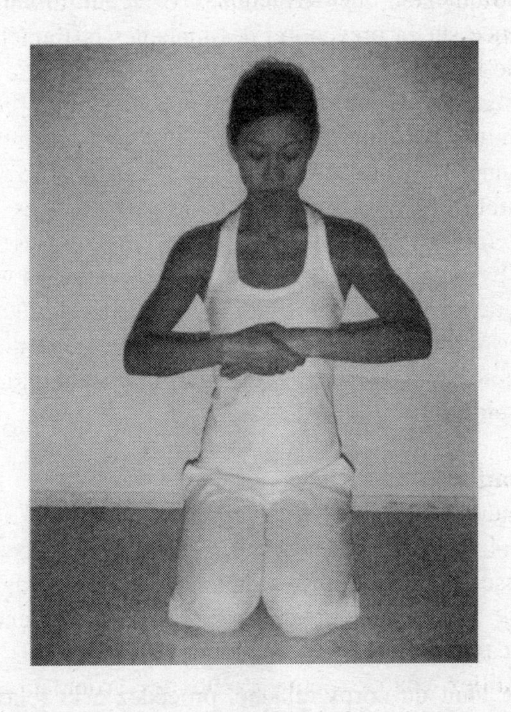

Frottez-vous les mains, paume contre paume, jusqu'à obtenir une sensation de chaleur, témoignant de l'accumulation de l'énergie.

Encerclez votre poignet droit de la main gauche puis tirez en effectuant un frottement continu jusqu'à l'extrémité des doigts.

Entourez votre poignet du pouce et du majeur pour masser en glissant, en tournant.

Ouvrez et fermez le poing rapidement comme si vous comptiez.

Faites plusieurs flexions et extensions du poignet.

Effectuez les mêmes actions avec l'autre main.

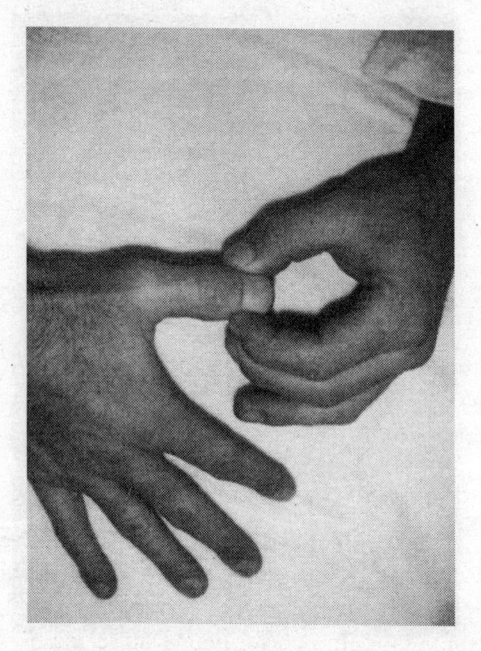

Le haut du corps relâché, procédez à la relaxation énergétique de vos mains :

Exercez un étirement lié à une torsion en commençant par l'auriculaire puis pressez fortement avec le pouce et l'index l'extrémité du doigt de chaque côté de l'ongle. Effectuez une flexion et une extension de chaque doigt.

Refaites les mêmes actions pour les doigts de l'autre main.

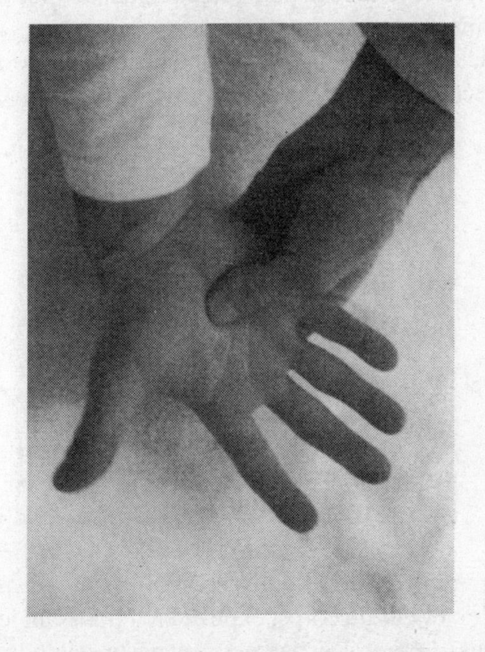

Massez la paume de votre main par des mouvements rotatifs de la pulpe du pouce avec les autres doigts en contre-pression sur le dos de cette main.

Exécutez la même chose pour l'autre main.

Massez chaque commissure interdigitale des doigts pour faciliter la circulation du Qi dans les méridiens.

Entrecroisez vos doigts en retournant les paumes vers l'extérieur du corps, expirez en repoussant les bras. En plus d'étirer les paumes, ce geste détendra votre cerveau.

Empaumez votre poignet droit pour secouer votre main relâchée.

Réalisez la même chose avec le poignet gauche.

Travail des bras

Par un glissé de toute la paume de la main gauche, descendez suivant la face antérieure du bras droit et remontez sur la face postérieure jusqu'à votre épaule.

Avec la face antérieure de l'avant-bras gauche, frottez le maximum de surface de l'autre bras.

Encerclez votre épaule droite avec toute la main gauche puis tirez en effectuant un frottement continu jusqu'au bout des doigts.

Entourez votre bras droit entre vos quatre doigts et votre pouce puis massez en tournant et en glissant jusqu'à votre poignet.

Suivant la même prise, effectuez une descente de tout ce bras par des compressions lentes et profondes.

Tapotez-le en direction des doigts en suivant les quatre techniques de martèlement : main à plat, main en coupe et tambourinages.

Refaites la même chose pour le bras gauche.

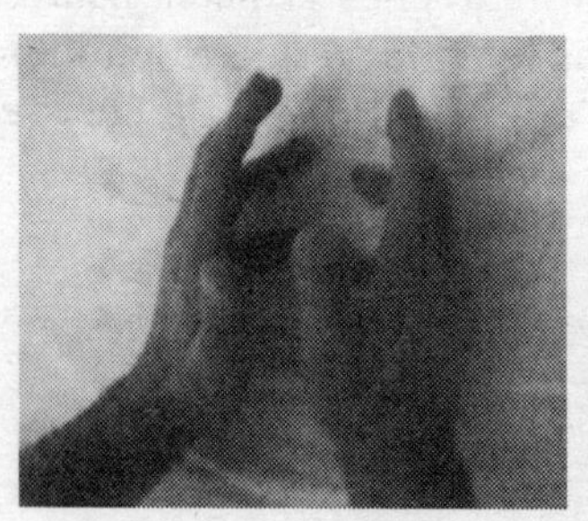

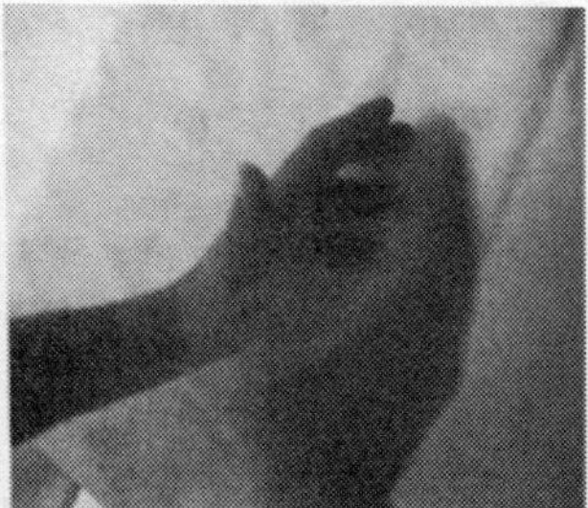

Travail du cuir chevelu et du visage :

Vos mains à plat, recouvrez tout le visage et faites-les glisser vers votre nuque en ratissant le cuir chevelu et les oreilles. Puis descendez alors le long du cou, sous les clavicules, afin qu'elles viennent balayer le diaphragme. Réalisé sur le temps d'une respiration, cet automassage calme l'esprit, harmonise le cœur et réveille l'énergie.

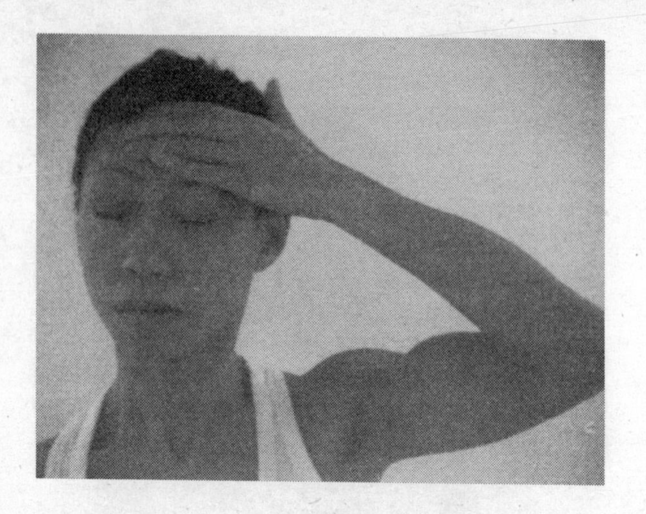

Pour chasser le rideau des mauvaises pensées et des tracas :

Votre main droite essuie le front de la zone temporale gauche à la zone temporale droite. Puis votre main gauche effectue le même trajet. Réalisez ces mouvements alternativement.

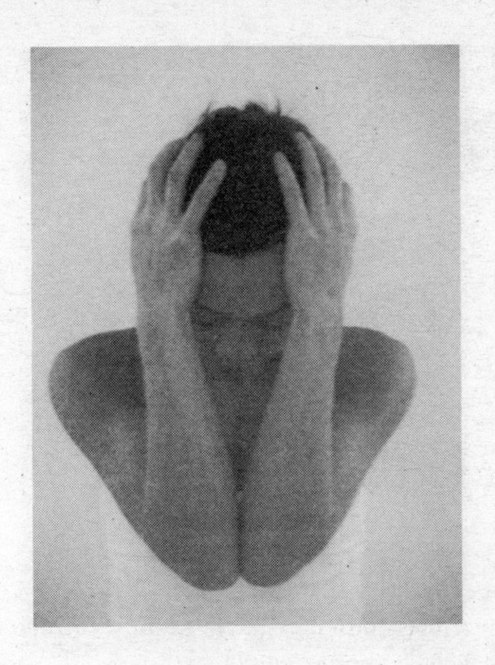

Appliquez le talon de la main au-dessus des sourcils puis laissez aller tout le poids de votre tête sur les paumes. Relâchez votre nuque et vos épaules. Inspirez profondément puis expirez lentement tout en glissant vos mains au-dessus des sourcils, des tempes jusqu'à vos oreilles.

Les coudes relâchés sur le ventre, les avant-bras se touchant, prenez votre tête… entre vos mains.

Mobilisez alors votre cuir chevelu du bout des doigts puis, croisez vos mains sur votre nuque, en laissant aller le poids de vos avant-bras à chaque expiration.

Étirez les muscles de votre cou en rentrant le menton puis les muscles antérieurs de la gorge, en laissant doucement tomber votre tête en arrière.

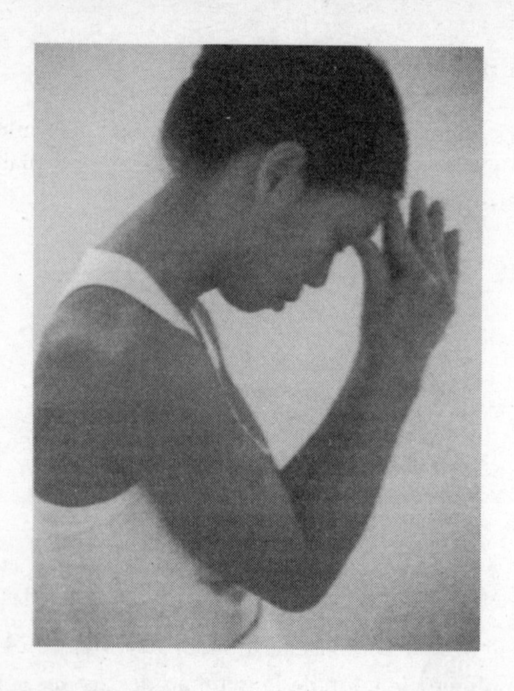

Pétrissez vos joues dans tous les sens comme le ferait un clown.

Massez la zone au-dessus de l'angle du maxillaire inférieur (os de la mâchoire), sur le masséter (muscle masticateur qui élève votre mâchoire inférieure).

Coudes serrés contre le corps, lâchez votre nuque en flexion ; les pouces massent la cavité supéro-interne de vos orbites.

Pour nourrir vos poumons

Vos index repliés, descendez le long des ailes de votre nez jusqu'au 20 GI (voir en annexe les planches de correspondance).

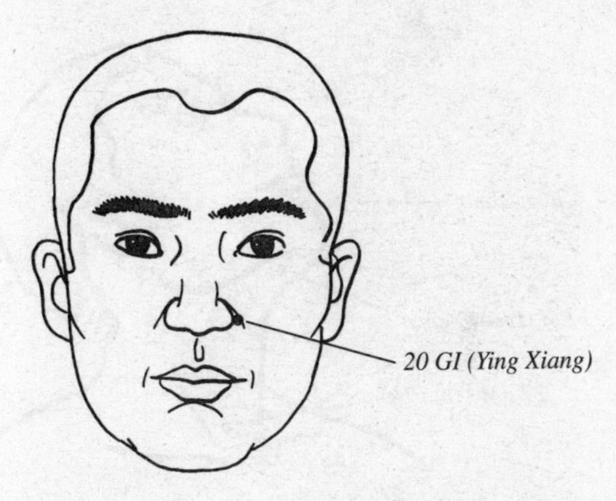

Pour nourrir votre rate et stimuler 26 DM avec 24 RM :

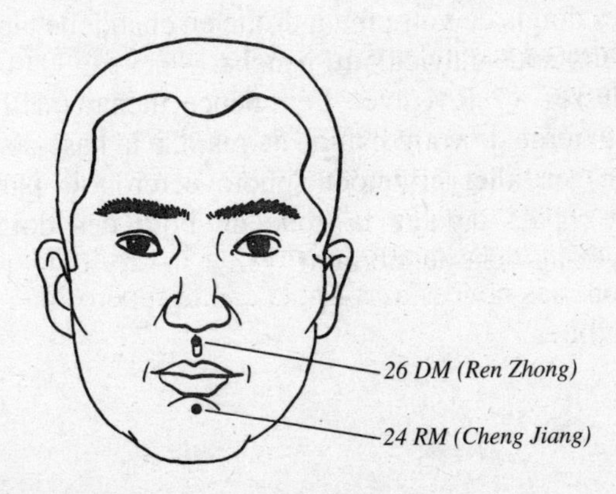

Vos index glissent au-dessus et au-dessous de vos lèvres en partant chacun dans une direction opposée.

Tournez votre langue sept fois dans votre bouche fermée, dans un sens puis dans l'autre.

Massez 22 et 23 RM avec votre pouce pour activer la salive.

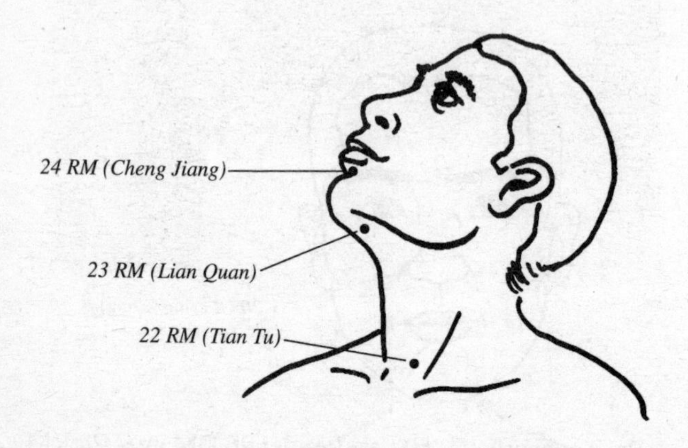

Les doigts de votre main droite en chandelle tapotent le creux sous-claviculaire gauche.

Massez 17 RM avec l'éminence thénar (saillie du côté externe de votre paume de main, à la base de votre pouce) en aller et retour (photo et croquis page de droite), puis tapotez la zone du bout des doigts et balayez au-delà du sternum.

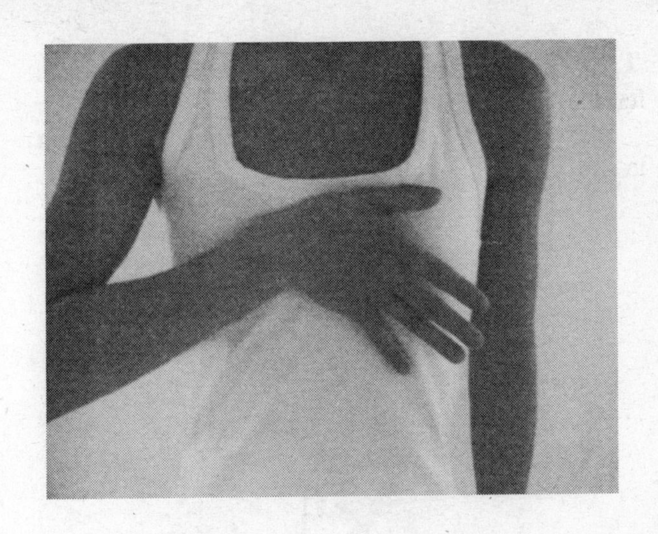

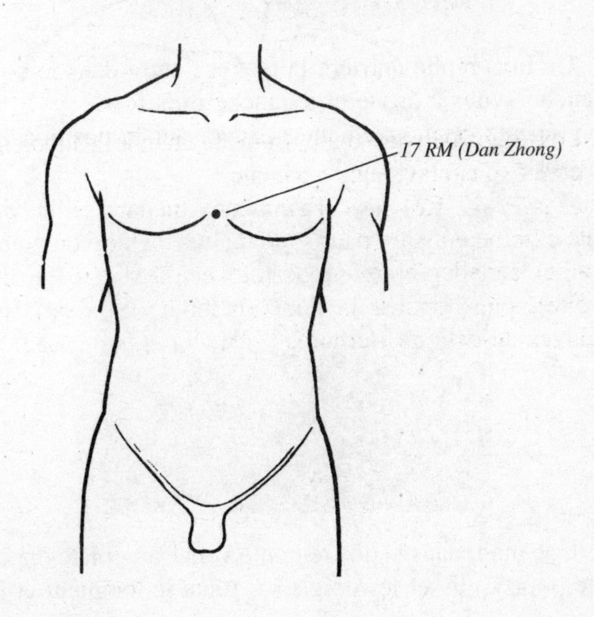
17 RM (Dan Zhong)

Travail des omoplates et assouplissement de la zone ingrate

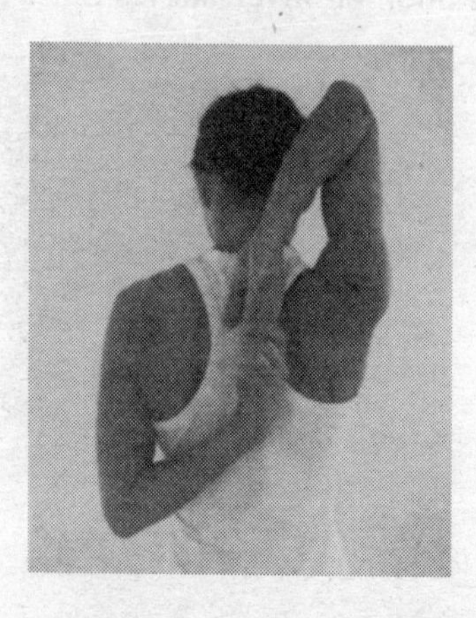

Un bras replié derrière la tête et l'autre dans le dos, penchez-vous à droite et à gauche trois fois.

Répétez ce mouvement en inversant la position de vos bras.

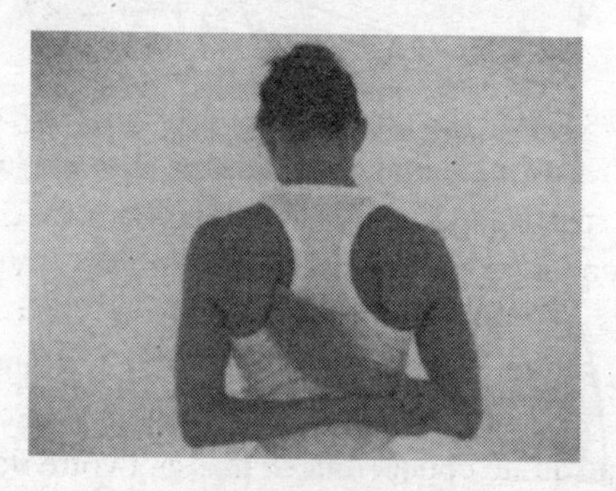

Une main dans le dos remonte vers l'omoplate opposée pour y glisser les doigts sur toute la longueur et le plus profondément possible. L'autre main l'assiste en maintenant l'avant-bras.

Même opération en inversant les bras.

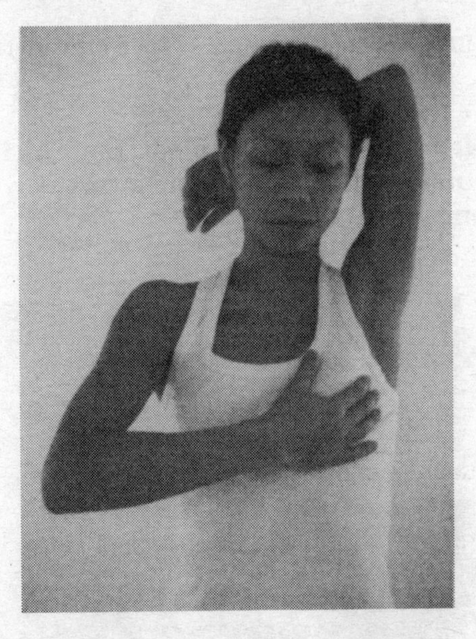

Un bras levé, relâchez l'avant-bras derrière la nuque, massez transversalement avec toute la main les hypocondres (parties latérales de la région supérieure de l'abdomen, sous les côtes) et le gril costal (l'ensemble des côtes). Dessinez une diagonale de haut en bas. Faites la même chose avec l'autre bras de l'autre côté.

Frottez votre bras gauche avec la main droite, depuis l'épaule jusqu'au coude, tout en massant votre flanc droit avec la main gauche, de l'aisselle jusqu'à la hanche.

Ces mouvements simultanés sont à effectuer dix fois.

Frottez votre bras droit avec la main gauche, depuis l'épaule jusqu'au coude, tout en massant votre flanc gauche avec la main droite, de l'aisselle jusqu'à la hanche.

Ces mouvements simultanés sont à effectuer dix fois.

Travail des jambes et des pieds, pour faciliter la circulation sanguine et améliorer le retour veineux

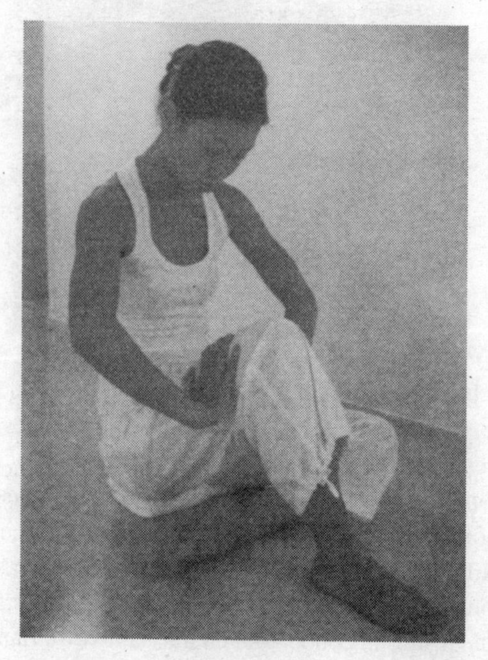

Asseyez-vous avec votre jambe gauche posée devant vous et placez le pied droit bien à plat au sol.

Comprimez la cuisse avec la paume des mains, aller et retour, avec les doigts posés sur la cuisse.

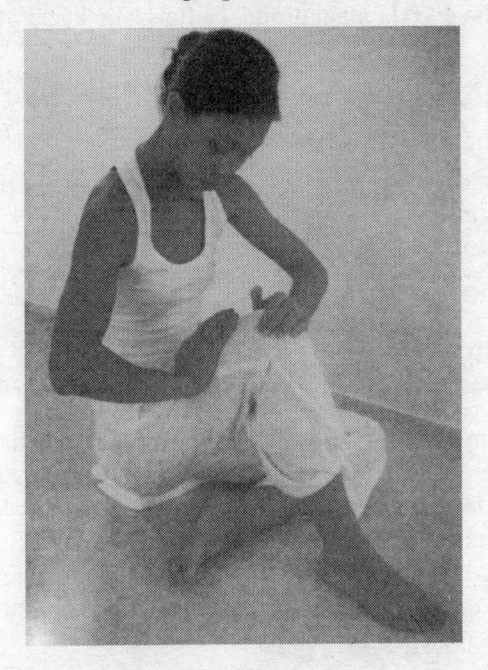

Une main empaume le genou pour exercer une contre-pression latérale pendant que l'autre main remonte le long de la cuisse en exerçant des compressions avec le talon et la paume de la main, perpendiculairement à la face externe de la cuisse.

Refaites la même chose en inversant les mains.

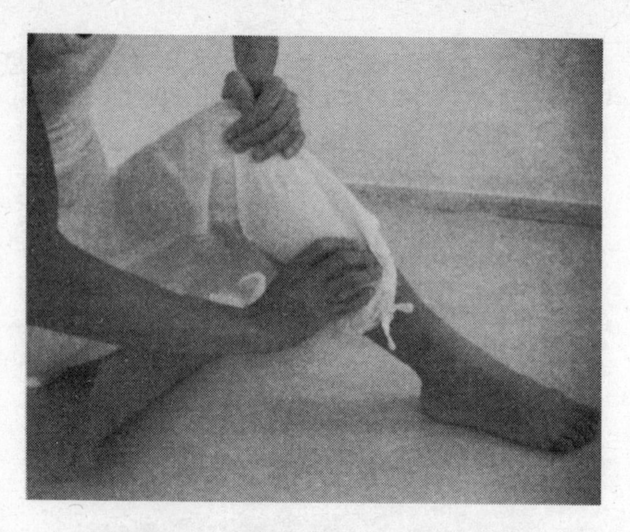

Votre main empaume le genou pour effectuer une contre-pression vers vous pendant que l'autre main descend de la manière suivante : les quatre doigts le long du tibia, le pouce stimule par pressions lentes et profondes la ligne médiane de la face postérieure du mollet.

Gardez toujours la même position assise mais avec la tête relâchée en flexion.

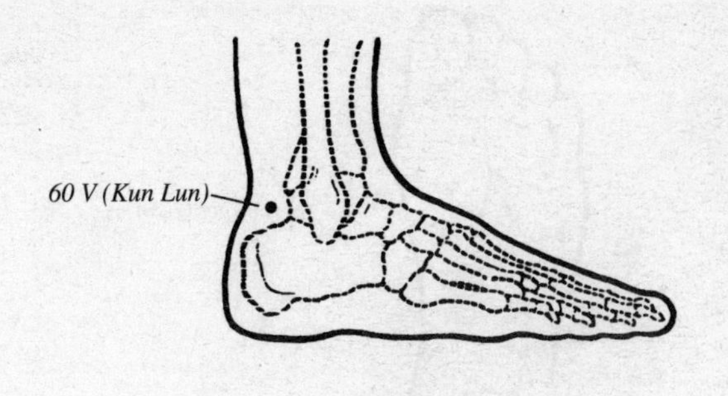

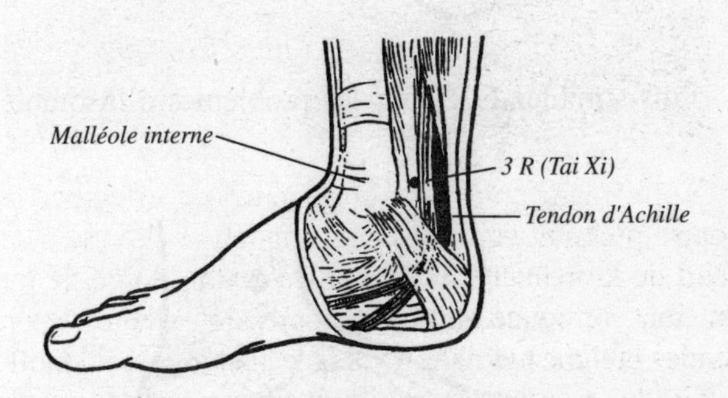

Vos deux mains sur le cou-de-pied, les pouces compressent le tendon d'Achille (3 R et 60 V).

Talon au sol, pointe relevée, ouvrez le dos du pied comme un livre, les doigts exerçant une contre-pression le long de la ligne médiane de la voûte plantaire.

Le pouce sur le dos du pied, stimulez 1 R avec le majeur pendant que l'autre main comprime l'ensemble.

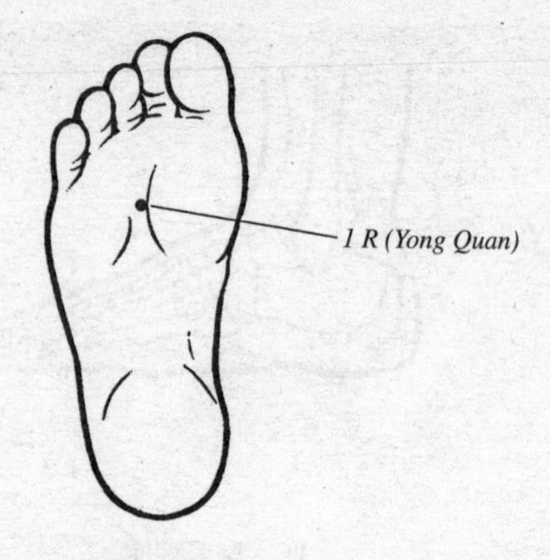

Puis stimulez 6 R pour les problèmes d'insomnie.

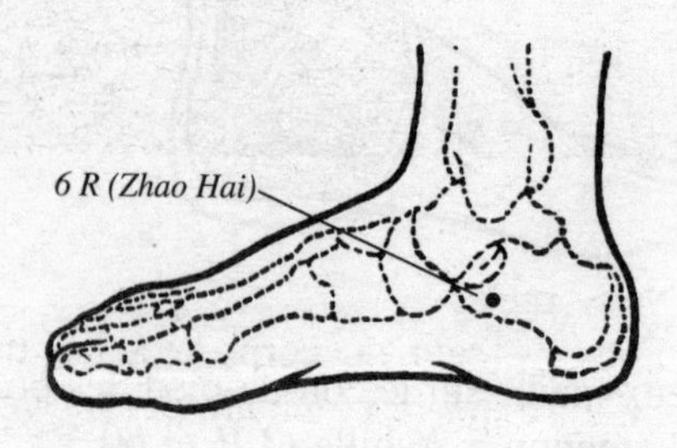

Reproduisez les mêmes actions sur l'autre cou-de-pied.

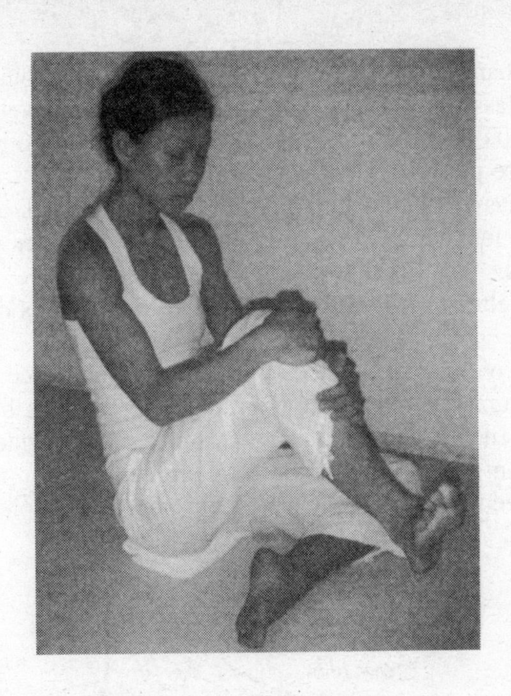

Prenez votre pied !

Restez assis, le haut du corps relâché, une jambe croisée sur l'autre qui reste tendue devant vous.

Exercez un étirement lié à une torsion en commençant par le plus petit orteil puis effectuez une flexion et une extension.

Répétez ce mouvement pour chaque orteil.

Avec le pouce et l'index, saisissez un orteil de chaque côté de l'ongle en le pressant fortement. Empaumez une cheville à deux mains et secouez-la (pied relâché). Empaumez un genou avec les deux mains afin d'effectuer lentement quelques rotations du pied, des flexions et des extensions.

Changez de pied et pratiquez les mêmes techniques.

Massez la voûte plantaire par des mouvements rotatifs de la pulpe du pouce avec les quatre doigts en contre-pression sur le dos du pied.

Massez chaque commissure interdigitale des orteils pour faciliter la circulation énergétique dans les méridiens.

Mettez vos orteils en éventail en plaçant vos doigts entre chacun d'entre eux.

Remontez sur la face interne de la jambe avec toute la paume de votre main pour augmenter la distribution de l'énergie dans tout l'organisme et redescendez en suivant la face externe de cette jambe.

Recommencez depuis le début pour l'autre pied.

Pour renforcer le Yang des reins

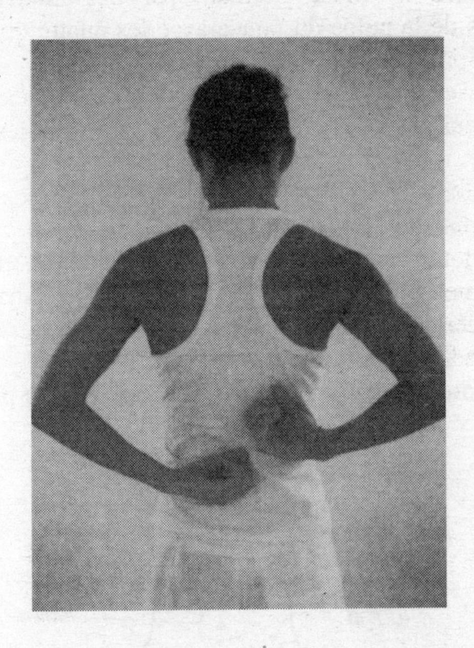

Frottez vigoureusement les lombes (région lombaire) de haut en bas avec la paume des mains à plat.

Vos poings mollement fermés, tapotez toute la région lombaire en remontant le plus haut possible.

Placez la paume de votre main droite sur la poitrine et le dos de la main gauche sur votre dos pour masser horizontalement et simultanément cinq fois la partie supérieure, la partie centrale puis la partie inférieure du dos.

Terminez par un massage des extrémités des deux dernières côtes flottantes avec la pulpe de vos doigts.

Travail du ventre

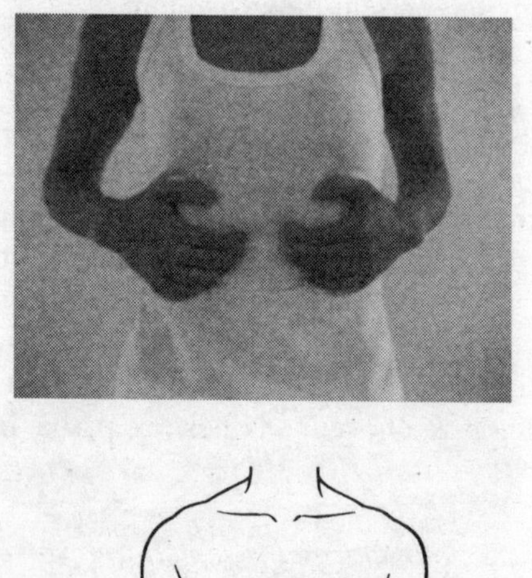

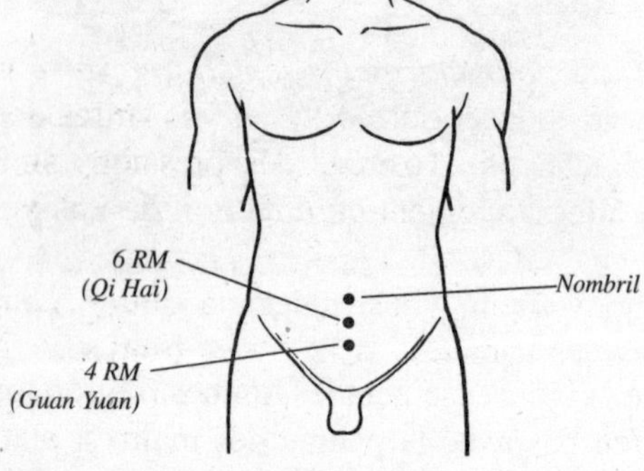

Les quatre doigts collés, cherchez à les glisser sous le thorax pour explorer cette zone.

Les mains l'une sur l'autre, massez votre ventre dans le sens des aiguilles d'une montre (sens du transit intestinal) puis comprimez le ventre à l'expiration.

Descendez sous le nombril pour mobiliser en cercles la région du Dan Tian (6 et 4 RM). Cela active l'énergie « ancestrale », relative à l'hérédité.

Dos de la main contre dos de la main, expirez en fléchissant le haut du corps afin de rentrer le bout des doigts dans la zone du plexus solaire.

Travail pour la vue

Il est important que vous battiez des cils entre chaque exercice proposé ci-dessous. Cela lubrifie l'œil qui a tendance à se voiler sous l'effet des tensions.

Effectuez un shampooing du cuir chevelu avec les mains dans vos cheveux. N'hésitez pas à bien vous décoiffer !

Important pour clarifier et améliorer votre vue :
Posez vos pouces sur 20 VB et vos autres doigts sur votre cuir chevelu. Exercez des pressions simultanément ou alternativement en direction de vos yeux.

Ce mouvement vous aidera à lutter contre les céphalées, les torticolis et le « vent froid ».

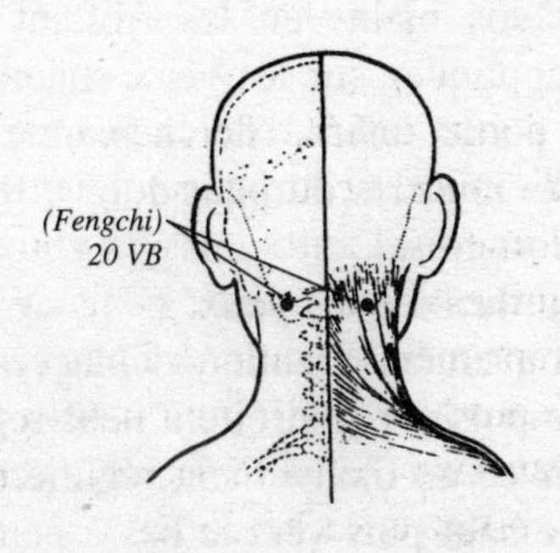

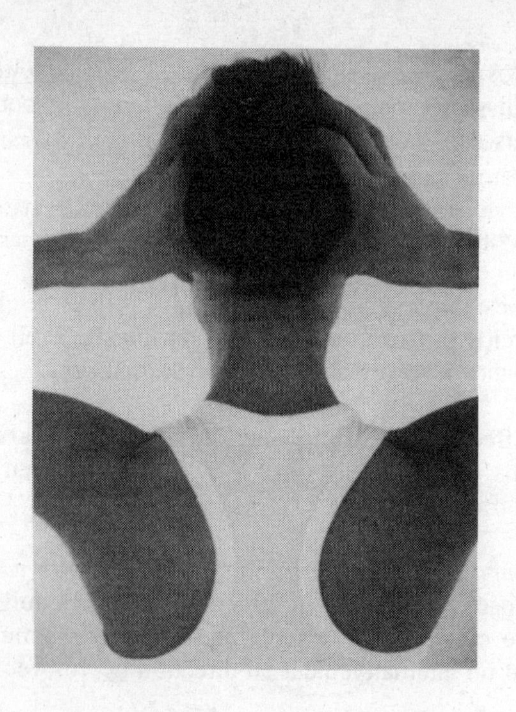

Pour nourrir le foie

Échauffez vos mains en les frottant l'une contre l'autre puis appliquez sur les yeux chaque hypothénar (saillie à la partie interne de la paume de la main, formée par les muscles du petit doigt). Recommencez l'opération trois fois.

Maintenant, fermez les yeux.

Par un mouvement régulier, déplacez votre regard sur la gauche puis sur la droite à neuf reprises.

Toujours avec un mouvement régulier, portez votre regard vers le haut puis vers le bas à neuf reprises.

Vos quatre doigts font rouler avec légèreté les globes oculaires.

Avec le bout de vos doigts massez tout doucement les paupières.

Entre le pouce et l'index, pincez 1 V et 2 V puis Yin Tang (le troisième œil), les sourcils et les tempes.

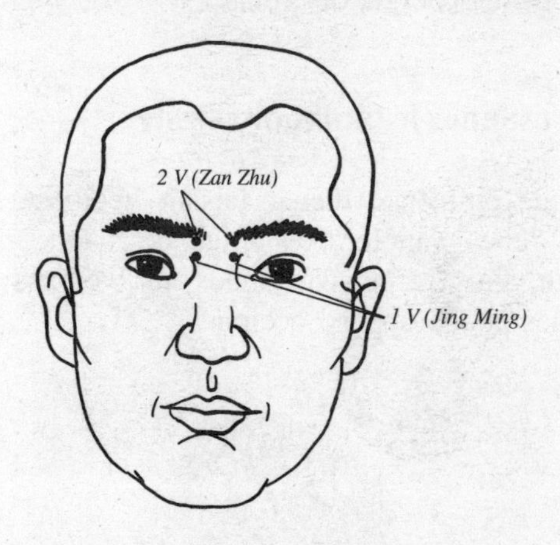

Les yeux toujours fermés, inspirez puis expirez. À la fin de l'expiration, ouvrez les yeux en regardant le plus loin possible. Inspirez alors tout doucement en maintenant le regard posé au loin.

Alternez un regard posé proche puis éloigné…

Travail pour l'audition

Effectuez un shampooing de votre cuir chevelu avec les deux mains dans les cheveux. Décoiffez-vous, puis recoiffez-vous intentionnellement.

Stimulez vos oreilles à l'intérieur et à l'extérieur entre le pouce et les quatre doigts.

Créez une isolation phonique en bouchant l'orifice de vos oreilles avec l'éminence thénar.

Effectuez alors un mouvement de ventouse à cinq reprises et mobilisez-les dans les deux sens, cinq fois, pour nourrir l'énergie des reins.

Faire résonner le tambour céleste

Chaque éminence thénar faisant ventouse sur les oreilles, faites pianoter trois doigts de chaque main sur l'occiput. Puis juchez vos index sur vos majeurs et lâchez-les pour frapper l'occiput.

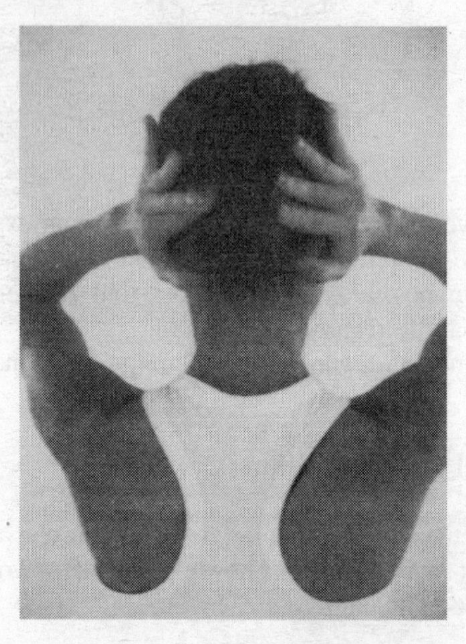

Les quatre doigts posés sur votre tête, vos pouces massent la base de l'occiput, appelée « cousin de jade », sur 20 VB (50 rotations).

Effectuez une descente appuyée des pouces le long de la nuque.

Prenez alors votre nuque comme si vous preniez celle d'un chat, pouce vers le bas, mouvement à effectuer dix fois de chaque main.

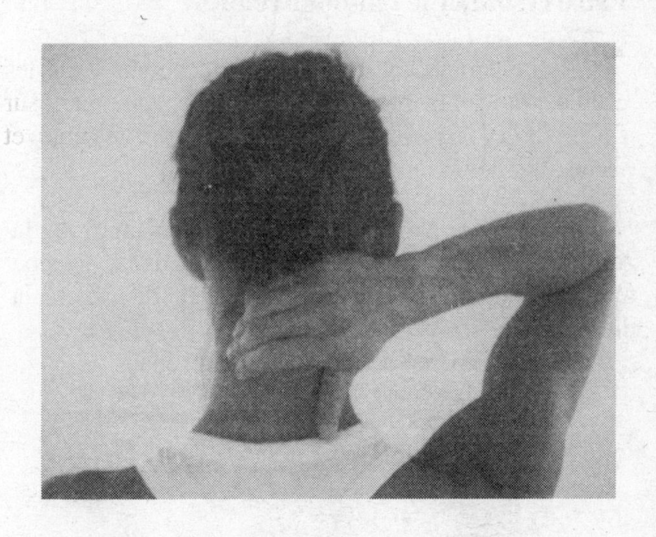

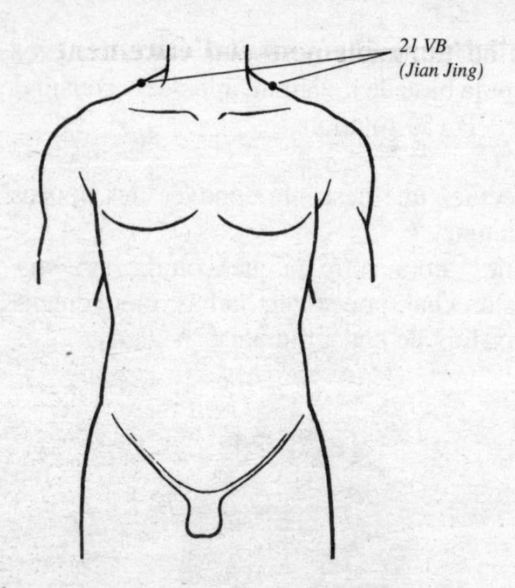

Appuyez avec vos quatre doigts de la main droite la zone du 21 VB au bord antérieur du trapèze gauche tout en tournant la tête très lentement de gauche à droite.

Refaites la même action avec l'autre main.

Travail d'enracinement et d'étirement

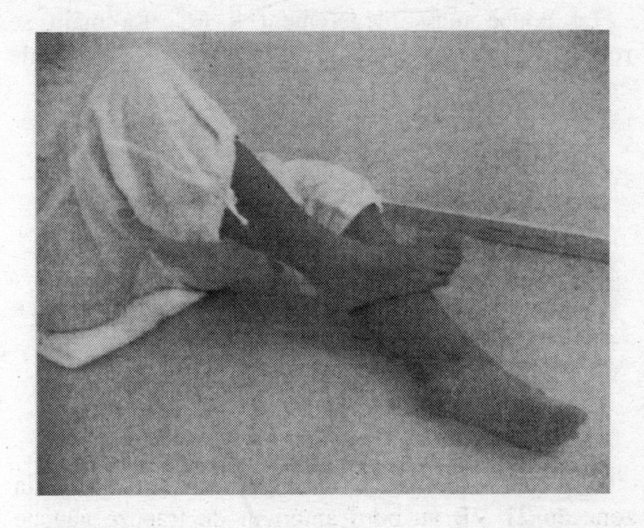

Stimulez 1 R avec les deux pouces puis frottez toute la voûte plantaire contre les méridiens internes de la jambe (rate, foie, reins).

Mettez-vous debout. Les pieds écartés de la largeur des épaules, libérez l'articulation des genoux en les pliant légèrement. Lâchez les fessiers tout en visualisant vos épaules soutenues comme celles d'un pantin par des fils.

Les mains posées sur les cuisses, inspirez et expirez par le ventre.

Montez les épaules, de haut en bas et de bas en haut (à effectuer cinq fois de chaque côté).

Balancez le tronc à gauche et à droite en gardant les jambes fléchies.

Mobilisez la tête de haut en bas et de bas en haut

puis à gauche et à droite en allant bien au bout de chaque mouvement.

Le pouce masse légèrement 8 EC. La main se referme sur le pouce pour préserver le flux d'énergie et calmer votre esprit.

Respirez lentement et profondément.

Recommencez avec l'autre main.

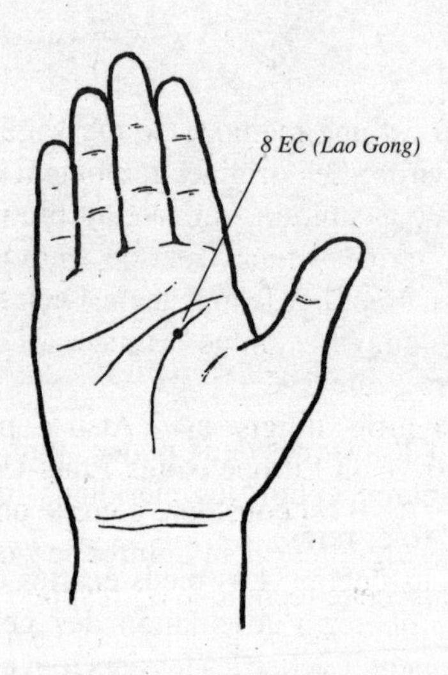

Le shiatsu

Le shiatsu est une méthode de massage créée il y a un siècle environ. Ses origines remontent au VIe siècle où l'ancestrale technique Amma était pratiquée par les aveugles. Le terme Amma vient de Anmo qui signifie en chinois « calmer par le toucher ». Quant au massage traditionnel chinois « Anmo Tuina », il remonte au IIIe millénaire avant J.-C.

« Shi » signifie doigts et « Atsu » pression. Le shiatsu est arrivé en Europe et aux États-Unis au début des années 1970. Il est considéré comme un soin d'acupuncture sans aiguilles. Tout comme le massage traditionnel chinois, cette technique correspond à une vision globale de la personne où le corps et l'esprit sont étroitement liés. Il existe environ 365 points, placés de manière symétrique de chaque côté du corps. Les points se trouvent souvent dans une petite dépression, voire un léger creux sur la peau. La pression s'effectue le plus souvent avec la pulpe des pouces mais aussi avec les doigts, la paume de la main et les coudes.

Les traitements shiatsu se pratiquent au sol, le patient étant allongé sur un petit matelas de type futon.

La position du corps du praticien pendant le massage est essentielle et se présente de la façon suivante :

Les genoux à terre, écartés pour assurer son équilibre, le masseur se positionne au-dessus de son patient. Les épaules à la verticale, les bras tendus, il avance ses hanches de manière à obtenir un travail progressif. Les pressions, même les plus intenses, ne doivent jamais devenir désagréables. Tout l'art réside dans la justesse des pressions. Sur les points les plus sensibles comme l'abdomen ou le visage, elles se réalisent sans l'appui du corps. Exercées dans un cadre donné et avec une intensité variable, elles suivent le paramètre respiratoire du receveur (pression pendant cinq secondes à son expiration et relâchement progressif à son inspiration). Suivant le mode d'action, le shiatsu tonifie ou disperse l'énergie.

Son objectif ? Apaiser, soulager, apporter la vitalité à l'ensemble du corps et guérir diverses affections (digestives, rhumatologiques, nerveuses...).

Le shiatsu aurait également un effet stimulant sur le système parasympathique, en agissant sur les tensions à l'origine de nombreuses affections et maladies. Les bienfaits de ce massage local sur les muscles tendus et douloureux sont confirmés par un concept médical appelé « barrière douleur ». Les pressions exercées vont empêcher le cerveau de recevoir le signal de départ de la douleur, tout simplement en bloquant celui-ci par l'émission d'autres signaux.

Le massage traditionnel thaï

Le massage traditionnel thaïlandais résulte de la formidable rencontre du massage ayurvédique des Indes avec le massage traditionnel chinois. Cette technique est une des plus complètes puisqu'elle s'inspire aussi bien du Yoga pour les étirements et les mobilisations que de l'Acupression.

Le médecin indien Shivago Komarpaj, spécialisé en médecine ayurvédique et en pratiques ésotériques, apporta les fondements de cette méthode lors de sa venue en Thaïlande. Contemporain de Bouddha, il devint très vite le médecin personnel du roi Bimbisara.

De nos jours, l'enseignement du Dr Komarpaj s'est répandu non seulement sur l'ensemble du territoire thaïlandais, mais aussi en Birmanie, au Laos, au Sri Lanka… Tandis qu'en Inde, il a évolué pour devenir le massage ayurvédique, plus axé sur les huiles.

Cet art ancestral, trois fois millénaire, fait partie intégrante de l'hygiène de vie thaïlandaise.

Institution autant qu'art de vivre, il se pratique dans les temples, dans les centres médicaux et dans le cadre familial.

Il existe deux courants principaux de massage thaï, mais la philosophie et les règles restent identiques :

– le Wat Po à Bangkok,
– le Old Chiang Maï Hospital à Chiang Maï.

Harmonisation des énergies, art d'amener au lâcher prise, appel à l'instant présent, ce type de massage se décompose en trois volets :
– l'échauffement par compression avec la paume de la main, les coudes ou les pieds,
– la digitopuncture (pression sur les points d'énergie),
– les étirements, les mobilisations articulaires ou musculaires et les manipulations.

Selon la tradition, il se pratique, non pas sur une table, mais directement au sol sur un matelas de type futon. La séance débute par les pieds pour se terminer à la tête et il n'est nul besoin de se dévêtir pour le recevoir. En effet, le massage thaï se pratique habillé de vêtements souples et amples pour apporter confort et surtout chaleur.

Dans le massage thaï aux herbes, on utilise des plantes aromatiques chauffées à la vapeur qui vont, sous l'effet de la chaleur, libérer leurs principes actifs, nettoyant et revitalisant ainsi la peau. Bien sûr, dans cette optique, les vêtements seront enlevés.

Le Wat Po est aussi bien connu comme le temple du Bouddha couché que pour être la première université de Thaïlande ouverte au public. Aujourd'hui, on y trouve encore la célèbre École de massage et de médecine traditionnelle thaï où quelques professeurs qualifiés enseignent l'art et la manière du massage traditionnel thaï du corps et celui des pieds.

Cet enseignement est directement issu des textes

ancestraux, lesquels ont été rassemblés et répertoriés au Wat Po par décret du roi Rama III. Afin de préserver la tradition, ce savoir fut retranscrit à l'origine sur des feuilles de palmier, des parchemins, des planches en bois et des statues de pierre.

Ainsi de nombreux domaines de connaissances purent être conservés intacts en ces lieux : histoire, littérature, art et culture, science médicale, thérapies physiques, pharmacopées... On y réunit plus de soixante planches relatives au massage traditionnel thaïlandais accompagnées des points et méridiens du corps humain, quatre-vingts statues représentant les automassages et étirements avec les indications thérapeutiques correspondantes. Quelques-unes des mille cent formules de phytothérapie y étaient aussi illustrées.

L'École de médecine traditionnelle thaï du Wat Po a édité quelques manuels renfermant une partie de ces connaissances. La plupart d'entre elles sont d'ailleurs reconnues par le ministère de la Santé.

Cette illustre École a donné ses lettres de noblesse à ce temple-monastère le plus grand et le plus ancien de Thaïlande (le Wa Phra Chetuphon). De nombreux Thaïlandais et quelques étudiants étrangers s'y rendent aussi bien pour recevoir des soins que pour suivre une formation.

Les bienfaits du massage thaï :

Lent, rythmé et complet, il rétablit l'équilibre et la dynamique énergétique du corps.

Favorise la circulation sanguine et lymphatique.

Améliore la santé du corps et de l'esprit.

Rend la souplesse aux muscles, aux tendons et aux articulations.

Diminue la fatigue, évacue le stress.
Régule l'appétit.
Soulage les crampes, les lombalgies et les torticolis.
Dissout les tensions nerveuses.
Agit sur le système immunitaire.
Stimule le sommeil réparateur.

La réflexologie plantaire thaï

Depuis déjà des millénaires, les Chinois, les Indiens, les Thaïlandais, les Égyptiens se massaient les pieds. On retrouve même l'existence de telles pratiques chez les Indiens d'Amérique du Nord, et dans certaines tribus d'Afrique noire.

De nos jours, c'est sous la terminologie officielle de réflexologie plantaire thaï qu'on la pratique.

Fruit d'un savoir-faire transmis au cours de ces trois derniers millénaires, ce « massage traditionnel thaï des pieds » est une merveilleuse synthèse des multiples techniques anciennes utilisées dans le Sud-Est asiatique.

Cette discipline fait partie intégrante de l'hygiène de vie des Thaïlandais. Institution autant qu'art de vivre, il se pratique dans les temples, les centres médicaux et aussi, d'une manière très conviviale, en famille.

Il repose sur l'idée que le pied est le miroir du corps, une carte de lecture globale où, à chaque zone réflexe, correspond une partie très précise de l'organisme. En parcourant ces zones, le praticien dresse un bilan énergétique complet, allant même jusqu'à réveiller le pouvoir d'autoguérison du corps.

Selon les réflexologues, un trouble localisé n'importe où dans le corps se reflète par une sensibilité accrue dans la région des pieds correspondant à la zone malade. Il est surprenant de constater que, très souvent, les personnes atteintes de troubles pulmonaires présentent des cals à la base des orteils tandis que celles qui ont des « oignons » aux pieds souffrent du cou ou de la nuque.

C'est une thérapie manuelle utilisée pour la prévention et le soin des maladies fébriles les plus courantes.

Le système nerveux et la peau, issus du même feuillet embryonnaire, sont intimement liés. Cela explique la raison pour laquelle ce « massage plantaire » agit en profondeur sur le système nerveux, centre de commande de toutes les activités, physiques et psychiques.

Tous les stimuli reçus sont évalués, mesurés, étudiés et parcourent alors notre matière grise avant d'atteindre les organes vitaux. On comprend comment la stimulation profonde d'une zone réflexe agit à distance sur un organe. Les pieds et les mains détiennent la particularité de posséder une grande quantité de terminaisons nerveuses, occupant ainsi une place plus importante que le reste du corps au niveau du cortex cérébral.

Il est admis que la réflexologie plantaire thaï possède un effet sur la circulation sanguine, le système nerveux et donc sur la santé des organes internes.

Sachez qu'environ 70 % des désordres sont dus précisément aux tensions nerveuses et vous comprendrez que le « toucher » des pieds est *la solution* par excellence.

Selon la tradition, pour recevoir ce massage de réflexologie thaï, il est vivement conseillé d'être assis confortablement, les pieds reposant sur un petit tabouret.

Un judicieux mélange de crème et d'huile est progressivement appliqué sur les pieds et les jambes (jusqu'aux genoux) pendant plus d'une heure.

On appliquera, alors, un stick en bois (appelé notamment « bâtonnet en bois de fer ») afin de faire réagir plus efficacement les zones réflexes spécifiques.

Sachant que nos pieds supportent la totalité du poids du corps et qu'en plus nous leur infligeons une moyenne de sept mille pas chaque jour, nous leur devons le plus grand respect ! Il serait raisonnable de leur donner les soins qu'ils méritent dès aujourd'hui car ils les exigeront de toute façon un jour ou l'autre.

Les bienfaits de la réflexologie plantaire thaï ? Elle procure un bien-être et une détente profonde :

- en entraînant une sensation de légèreté,
- en soulageant les jambes lourdes,
- en régulant l'appétit et les troubles digestifs,
- en luttant contre les insomnies, les maux de tête, les effets du stress,
- en agissant en profondeur sur le système nerveux,
- en renforçant le système immunitaire.

Prenez une longueur d'avance en vous offrant les bienfaits d'un massage des pieds…

En complément, relaxez vos pieds en leur donnant la possibilité de s'immerger une dizaine de minutes dans une bassine d'eau chaude et une poignée de gros sel. Vous apprécierez le relâchement…

La relaxation coréenne

En Corée, ce massage d'inspiration chinoise se pratique couramment dans le cadre familial ou amical. Fondée sur l'idée que nous modulons notre corps en fonction de nos attitudes mentales, cette technique recherche l'apaisement du mental par le relâchement de toute la musculature.

Le receveur, habillé de vêtements confortables, est allongé au sol. En partant des pieds, le masseur effectue de légères pressions, des étirements et des mobilisations tout en propageant différentes vibrations douces à travers le corps entier. Chaque articulation est prise en compte dans un ordre bien établi : les orteils, les chevilles, les genoux, les hanches, les lombes, les dorsales, les épaules, les coudes, les poignets, les doigts, la cage thoracique et enfin la tête. Un temps est aussi consacré au déblocage des tensions de l'abdomen et du diaphragme afin d'harmoniser les fonctions digestives et respiratoires.

Des articulations jusqu'au plus profond des tissus, chaque cellule du corps est ainsi touchée par ces ondes vibratoires. Conseillée aux sportifs comme aux personnes souvent stressées, cette relaxation entraîne un véritable lâcher prise tout en développant le champ des perceptions et en rendant au corps sa légèreté.

Le massage ayurvédique

Ce massage s'appuie sur les principes de la médecine traditionnelle indienne : l'Ayurvéda, mot qui vient du sanskrit (langue sacrée et littéraire de l'Inde ancienne) qui signifie : « Science (Véda) de la Vie (Ayur). »

Avec la médecine traditionnelle chinoise, la médecine ayurvédique est l'une des plus anciennes du monde.

Son texte de référence principal ? Le Livre sacré, le *Charaka Samhitâ*, qui dit, entre autres, que les maladies ne peuvent être guéries que si le karma – enchaînement des causes et des effets qui garantissent l'ordre de l'Univers – qui les provoque est totalement expié.

Dans l'hindouisme, il existe trois types de karma :

– Prarabdha karma lié à la naissance et aux vies antérieures.

– Sarichita Karma se rapportant au karma accumulé par les actions et les pensées d'aujourd'hui.

– Agama karma créé par les prochaines actions dans cette vie ou pendant les suivantes.

Selon la mythologie hindoue, cette médecine a été

transmise par le créateur de l'Univers, le dieu Brahmâ né d'un lotus. Il est représenté généralement avec quatre bras et quatre visages symboliques des quatre véda (connaissances), des quatre yuga (âges) et des quatre varna (classes sociales).

L'Ayurvéda est fondée sur un système ayant une compréhension globale de la vie qui n'est pas par définition figée mais en constante évolution. En avoir une approche rigide serait contraire à l'existence même.

Si bien que cette médecine, vieille de plus de trois mille ans, a évolué de manière significative en fonction des modes de vie et des exigences du corps.

Le gourou indien Maharishi Mahesh Yogi a introduit cette connaissance en Occident dans les années 1960. Bien des symptômes modernes (comme les problèmes intestinaux, la fatigue chronique…) ont été traités avec succès par l'Ayurvéda lorsque la médecine occidentale, elle, avait échoué.

Dans la tradition védique, la science du prana (énergie vitale pour les hindous) reliée à l'âme s'appelle Yoga et celle reliée au corps se nomme Ayurvéda.

Le praticien – le vaidya – s'appuie sur l'arbre de vie composé de huit branches :

– la médecine générale interne,
– la chirurgie générale et la chirurgie plastique, la gériatrie,
– les oreilles,
– le nez,
– la gorge,
– la toxicologie,
– l'obstétrique et la gynécologie, la pédiatrie,
– la thérapie du rajeunissement.

Les quatre objectifs essentiels de la vie humaine sont :
– Dharma, célébration des rites religieux,
– Artha, l'acquisition de l'aisance matérielle,
– Kama, la satisfaction des désirs,
– Mosksha, l'accomplissement de la libération.

L'Ayurvéda considère que tout est énergie (prana) dans l'Univers et que le corps est un des microcosmes qui le composent. Cette médecine consiste à harmoniser les éléments constitutifs de l'être selon les trois lois, forces vitales appelées « doshas ». C'est une approche individualisée fondée sur la constitution propre à chacun de nous. À chaque caractère correspond un « dosha » :
– Vata (air, espace) : système nerveux et hormonal.
– Pitta (feu) : système digestif et enzymatique.
– Kapha (eau, terre) : les fluides.

Ces principes représentent les énergies présentes dans les organismes vitaux. Chaque être humain dispose de ce potentiel énergétique en quantité et dans des proportions différentes. C'est le rapport de ces doshas qui détermine notre condition psychique et physique.

Lorsque ceux-ci fonctionnent correctement, l'organisme est en état d'équilibre et l'être humain est en bonne santé.

Cette théorie très complète permet de comprendre la nature ainsi que ses multiples manifestations dans notre corps et dans notre environnement.

Mais aujourd'hui, comment approcher cette « science de la vie » (Ayurvéda) ?

Tout simplement, en conduisant sa propre existence

de façon heureuse. Cela implique d'avoir une attitude positive vis-à-vis de soi-même et de la société. Médecine « sociale », sa particularité est de soigner le malade en tenant compte de son mode de vie plutôt que de la maladie seule.

L'Ayurvéda nous montre comment vivre dans un équilibre total et naturel : quelles actions, quelle alimentation et quelles activités sont favorables à notre existence ?

Style de vie complet réunissant l'ensemble de l'existence et s'occupant de la douleur comme du bonheur, cette philosophie ne se limite pas à des théories mais implique également des exercices pratiques tels que le Yoga, la méditation, la respiration…

Lorsque l'on consulte un praticien en Ayurvéda, il établit en premier lieu notre type de constitution exacte en fonction de notre silhouette, de l'observation de notre peau, des cheveux, des ongles, des yeux, de nos préférences, de nos aversions ou encore de nos attitudes comportementales. La plupart des personnes ne connaissent ni leurs forces ni leurs faiblesses, et sont incapables de savoir ce qui leur fait du bien ou du mal. Il est donc indispensable de recueillir toutes ces informations. À la différence de la médecine occidentale, ici, la fréquence du pouls est non seulement prise en considération pour déterminer ce qui se passe dans notre corps, mais aussi pour obtenir une information sur l'état de nos doshas. Ce n'est seulement qu'après ce protocole qu'on vous proposera une Panchakarma, la principale thérapie de désintoxication.

Cette cure va libérer le corps des dépôts du métabolisme, des polluants et des éléments de nourriture non digérés. Cet encrassement est considéré comme l'une des causes principales des maladies. Les déchets appelés Ama peuvent tout aussi bien se former au niveau mental, résultat de sentiments refoulés et/ou de conflits non résolus.

Pour préparer le corps à cette thérapie, on utilise le Purvakarma, programme de nettoyage ayant pour base le massage Snehana (détaillé plus loin) et la méthode de transpiration Swedana. Elle combine, en alternance, des bains de vapeur qui favorisent l'élimination des toxines par les pores et le lendemain un massage. Il est aussi fortement conseillé de boire du ghee (mélange à base de beurre de buffle, de vache et de chèvre).

La Panchakarma se compose de cinq traitements :

– Virechana : purgation (à base de feuilles de séné, d'aloès, de pissenlit et de graines de psyllium) qui nettoie le sang, le foie, l'intestin grêle et les glandes sudoripares.

– Basti : on utilise les clystères (à base d'huiles essentielles et d'infusions de plantes) pour les lavements et les bains des yeux. Purifiant le côlon, le rectum et les os, il est aussi efficace pour l'amélioration du transit intestinal, le mal de reins, l'anxiété et les infections.

– Raktamokshana : ancêtre de notre saignée, il n'est plus très utilisé. On lui préfère l'emploi des plantes comme l'oseille ou le curcuma pour purifier le sang. Il soigne l'eczéma, l'acné, la fièvre, les hémorroïdes, l'herpès...

– Vamana : potion salée vomitive composée de plantes, il traite les problèmes respiratoires.

– Nasya : traitement par les narines à base de gotu kola, de gingembre, d'huile de sésame, de lait et de ghee (matières grasses extraites des amandes), il supprime la migraine et soigne les oreilles, les yeux, le nez et la gorge.

Le vaidya en choisira un ou deux selon le cas. Après cette cure de désintoxication, il prescrira un remède, toujours à base de plantes, pour rééquilibrer les doshas, à savoir :

– Type Vata : gotu kola ou ginseng.
– Type Pitta : aloès, salsifis ou safran.
– Type Kapha : miel.

Pour résumer, une bonne santé n'existe que lorsque toutes les conditions suivantes sont remplies, à savoir :

– les trois doshas sont équilibrés,
– les cinq sens fonctionnent naturellement,
– le corps et l'esprit sont en harmonie,
– l'Ama est éliminé,
– les Marmas (points ayurvédiques) sont tous débloqués et parcourus harmonieusement par le Prana,
– le métabolisme est sain,
– l'appétit normal.

Les massages s'effectuent par des pressions lentes et régulières sur différents points Marmas, à travers lesquels le Prana se déplace. Ces techniques stimulent la circulation sanguine et lymphatique accélérant ainsi l'élimination de l'Ama.

Les massages peuvent se donner aux huiles végétales seules, en fonction du type de dosha de chaque individu ou associés aux huiles essentielles selon les besoins de l'organisme.

– Type Vata : huile de sésame, d'olive, d'amande ou de germe de blé,
– Type Pitta : huile de coco, de santal ou de tournesol,
– Type Kapha : huile de moutarde, de maïs ou de carthame.

Selon les besoins de l'organisme, l'utilisation des huiles essentielles en association avec le toucher se révèle efficace pour agir sur le corps et sur l'esprit.

L'aromathérapie, science holistique, utilise ces huiles pour soulager de nombreux troubles pathologiques et émotionnels ; elles jouent un rôle de prévention ou de guérison. Les huiles essentielles sont des essences obtenues par une distillation, à la vapeur d'eau, des différentes parties des plantes : racine, écorce, feuille, bourgeon, fleur…

Les molécules aromatiques de ces huiles sont si petites qu'elles pénètrent par les pores en agissant sur la peau, sur la circulation sanguine et sur les fonctions organiques. Une fois leur rôle accompli, elles sont éliminées par l'organisme par les voies respiratoires, urinaires et digestives.

Selon l'espèce et la partie de la plante, on obtient un produit avec des qualités particulières délivrant une action physiologique ou psychologique : antiseptique, anti-inflammatoire, antistress, relaxante…

Mais attention, l'huile essentielle doit toujours être diluée dans une huile végétale, le plus souvent dans l'huile d'amande douce, pour passer la barrière cutanée et éviter toute réaction allergisante de la peau.

Voici quelques suggestions de préparation :
– Antiseptique :

Citron.
– Brûlures :
Lavande officinale.
– Dynamisme et rééquilibre des énergies :
Géranium, romarin, citron et sarriette.
– Antistress :
Néroli, ylang-ylang et lavande officinale.
– Tension de la vie courante :
Marjolaine, romarin, orange douce et pin sylvestre.
– État de faiblesse :
Origan, marjolaine, verveine, basilic et lavande.
– Douleur cervicale, torticolis :
Lavande officinale, ravenala, romarin à cinéole et eucalyptus citriodora.
– Jambes lourdes :
Cyprès, romarin, camphre et citron.
– Acné :
Genièvre et lavande officinale.
– Cellulite :
Lemon grass, romarin, citron et eucalyptus mentholé.
– Vergetures :
Lavande aspic, romarin, cajeput et rose du Chili.

Les quatre mouvements principaux dans le massage

Le tapotement, geste qui ne doit jamais être violent, est à destiner plus particulièrement aux masses musculaires importantes : cuisses, fessiers…

Le pétrissage équilibre, sans les libérer, les tensions musculaires, active la circulation sanguine, chasse les déchets organiques.

La friction avec les huiles essentielles stimule la circulation lymphatique et peut permettre de dégonfler un œdème.

La pression, mouvement croisé ferme et léger des deux pouces, s'exécute sur les points tendus des masses musculaires pour les éliminer.

Les principaux types de massage

Le Snehana consiste à faire pénétrer les huiles essentielles tout en massant pour améliorer l'élimination des toxines. L'utilisation de préparation d'huiles se révèle efficace contre le stress, l'anxiété, l'insomnie et tous les problèmes circulatoires. En massant le cuir chevelu, on apporte à l'organisme une aide complémentaire dans la dépression, l'insomnie et la perte de mémoire.

Le Shirodhara s'applique par un filet d'huile de sésame chaude, versé en un mouvement perpendiculaire sur le front. Favorisant ainsi la « respiration crânienne » et agissant sur les centres nerveux, il est idéal en traitement des insomnies et pour lutter contre les effets du stress.

L'Abhyanga, massage des mains aimantes : le client est massé par deux thérapeutes en même temps ; son effet calmant et relaxant pour le corps et l'esprit apporte une énergie nouvelle aux personnes stressées. Il régule le système lymphatique et l'élimination des toxines, il stimule les défenses immunitaires et assouplit la peau.

Le Mukabhyanga, massage de la tête, du visage et du décolleté, procure une détente profonde des muscles. Il élimine les toxines et les tensions, améliore le tonus de la peau, dessine les contours du visage, active les centres énergétiques pour un effet de rajeunissement et de revitalisation.

Le Padabhyanga, massage des pieds et des jambes, utilise la technique de réflexologie plantaire. Il régule et détend tous les organes du corps.

Le Kansu est également un massage des pieds avec la particularité d'être effectué avec un bol constitué de cinq métaux.

Il chasse le feu négatif : le stress, les tensions, le mal-être.

Le Samvahana est le plus complet et le plus long (90 mn) des massages. Ce rituel débute par un peeling du corps, soigneux et doux. Pour ce faire, on utilise un gant et des pinceaux en soie pour un travail énergétique avec des huiles d'essences rares. Le massage se poursuit par des mouvements synchronisés qui associent la réflexologie plantaire.

Permettant de prévenir et de gérer au mieux le stress, il est efficace en cas de fatigue, d'insomnie, d'ankylose et de dépression.

Le Pizzichil est recommandé dans les cas de paralysie et de rhumatisme. On utilise de l'huile essentielle qui s'écoule continuellement, de tissus qui en sont imprégnés, sur le corps du client. Il est pratiqué, en général, par quatre personnes : deux qui pressent l'huile et deux autres qui massent.

Le Chavutti thirumal, le plus acrobatique, fait appel à deux praticiens. Figurez-vous que le premier, accroché au plafond, masse avec ses pieds tandis que le second verse de l'huile sur le client. Il est efficace en cas de douleurs articulaires et musculaires et de fatigue chronique.

Le massage suédois

Le massage suédois s'est implanté aux États-Unis vers le début du XXe siècle partout où se sont installés les immigrants scandinaves. Bien que les pratiques de base soient restées les mêmes depuis des générations, on en attribue rarement le mérite au père fondateur de cette technique : le Suédois Per Henrink Ling (1776-1839), qui fut à la fois médecin, enseignant et poète. Cela tient sans doute au fait qu'il fut d'abord reconnu pour sa méthode de gymnastique dite « suédoise », qu'il avait enseignée à la première école de gymnastique et qu'il avait fondée à Stockholm en 1814 et dirigée jusqu'en 1836.

Pour élaborer sa technique, Per Henrink Ling s'est inspiré de ses connaissances en physiologie et en anatomie, des concepts d'éducation physique des peuples nordiques, de son expérience du mouvement en tant que maître d'escrime et de son étude des techniques de massage ancestrales utilisées par les médecins gymnastes à l'époque gréco-romaine. Un dernier élément vient compléter les règles de base de son approche : le pouvoir de la pensée sur le corps. Cette conception lui valut d'ailleurs d'être critiqué et traité par certains de fanatique religieux.

Ce n'est qu'en 1900 que le massage suédois fut reconnu dans le monde, reconnaissance due en partie à son fils Hjalmar qui poursuivit son enseignement, mais surtout au médecin britannique Mathias Roth qui publia le premier livre en anglais sur les fondements de la méthode.

Aujourd'hui, le massage suédois conserve les mouvements de base élaborés par Per Henrink Ling et intègre d'autres techniques adaptées à la pratique personnelle de chaque masseur.

Différentes phases sont appliquées dans un ordre bien précis et logique :

- les effleurages,
- les pétrissages,
- les frictions,
- les percussions,
- les vibrations.

Pratiqué directement sur la peau avec des huiles essentielles, il vise à faire disparaître les tensions dans les muscles et dans les articulations pour une plus grande détente ainsi qu'une meilleure amplitude des mouvements.

Cette technique, détaillée et précise, est conseillée aux sportifs puisqu'elle permet de rentrer en profondeur dans les tissus pour soulager les muscles fatigués, endoloris, en favorisant une récupération rapide. Elle stimule également la circulation sanguine et lymphatique tout en éliminant les toxines de notre organisme.

Le massage californien

Le massage californien a été créé grâce à une dynamique de groupe inscrite dans le courant des nouvelles thérapies émergeant aux États-Unis (Human Potential Movement).

L'objectif était de mettre au point une technique globale visant à remettre la personne dans son schéma corporel afin qu'elle puisse prendre conscience de son être profond.

Cette technique de massage a donc vu le jour dans les années 1970 à Big Sur près de San Francisco, à l'Institut d'Esalen.

Caractérisé par sa douceur, celui-ci est particulièrement relaxant, apaisant.

Plus superficiel dans le toucher, plus enveloppant, il est tout aussi professionnel puisqu'il respecte le trajet des méridiens ainsi que les zones réflexes.

Par des mouvements lents et amples, par l'enchaînement de manœuvres d'effleurages, de pétrissages et d'étirements reliant toutes les parties du corps entre elles, la tension mentale cède la place au lâcher prise et la relaxation prend alors tout son sens.

La séance commence par le dos et l'arrière des

jambes, puis on remonte des pieds vers le ventre, le thorax, les bras, la nuque et le visage.

Ce massage se pratique sur une personne nue ou en sous-vêtements, allongée sur une table ou au sol. L'huile utilisée est fluide, glissante et enrichie d'huiles essentielles.

Le massage californien pourra mettre fin à l'épuisement nerveux et au surmenage musculaire résultant de notre vie professionnelle et d'habitudes trop sédentaires.

Il favorise la détente, apaise profondément, soulage les effets du stress, relâche les tensions musculaires, améliore la circulation des liquides organiques, assouplit les articulations et oxygène les tissus.

Ce massage améliore grandement notre santé physique et psychique.

Le massage sur chaise ergonomique

Ce concept, créé également en Californie dans les années 1980, apporte en l'espace d'un quart d'heure une détente corporelle, un apaisement de l'esprit et une meilleure circulation énergétique dans tout le corps. De par son approche, son côté convivial, ses effets immédiats, sa courte durée et son faible coût, il répond aux attentes d'un très large public.

Une méthode de massage idéale, parfaitement adaptée à notre société moderne et au style de vie qui en découle. Grâce à une chaise ergonomique spécialement conçue pour ce massage, c'est la porte ouverte à la relaxation pour tous et en tous lieux : en entreprise, dans les congrès, dans les salons professionnels, sur les aires de repos, lors d'événements sportifs, dans les soirées privées, sur les plages…

Son action se concentre sur les régions du corps particulièrement tendues : le cuir chevelu, la nuque, les trapèzes, les épaules, les bras, les mains et tout le dos. Différentes techniques sont utilisées selon la région traitée et l'effet recherché. Adapté selon les techniques de massage chinois, shiatsu ou thaï, c'est un véritable soin personnalisé qui vous sera donné.

Plus efficace qu'une pause café, à la fois préventif, relaxant et énergisant, le massage sur chaise est la solution pratique, économique et humaine pour lutter contre les effets du stress, les douleurs de dos, les céphalées et la raideur de la nuque. Il agit sur les méridiens et les points d'acupuncture, refaisant circuler l'énergie dans tout l'organisme.

Par le toucher juste et la bonne pression associée à « un mal qui fait du bien » (*no gain without pain*), il délie les zones de tension pour en libérer l'énergie. En plus de soulager bien des maux quotidiens, le massage sur chaise :

- Permet de se reconnecter avec soi-même et son environnement.
- Aide au relâchement de l'hyperactivité cérébrale.
- Procure un calme tonique et une énergie nouvelle.
- Stimule la concentration en augmentant les performances dans le travail.
- Favorise le sommeil.

On comprend mieux pourquoi cette méthode fait partie intégrante de la plupart des grandes entreprises américaines. Il est en effet incontestable que les bénéfices de l'entreprise découlent des bénéfices du massage. Aussi, dans le cadre de leur programme de santé corporatif, soit l'employeur décide de payer tout ou partie de cette prestation à ses employés, soit il leur offre la possibilité de se faire masser sur place, avec tous les avantages que cela comporte.

Une personne se sentant bien dans son corps et dans sa tête travaille mieux et plus vite qu'une autre personne en situation de stress et à la limite du surmenage (*mens sana in corpore sano*).

Cinquième partie

UNE PHILOSOPHIE DE VIE

Vivons heureux ici et maintenant

Il n'est jamais trop tard pour bien faire, pour bien être…

Ne reportez plus à demain l'opportunité d'exister réellement, de devenir ce à quoi vous aspirez le plus.

N'attendez pas que tous les feux soient verts sur cette grande avenue qu'est votre vie pour avancer. Le bonheur est une trajectoire, pas une destination. Il est là, posé dans les choses les plus simples. Observez !

Les facteurs Temps et Travail doivent être pris en considération, ce que nous décidons arrive rarement du jour au lendemain. Alors, confiance et patience, chaque jour apportez une pierre à l'édifice de votre bonheur. Cette quête quotidienne du bien-être constitue un facteur primordial pour vivre en harmonie avec soi.

Faites de chaque journée une occasion spéciale pour être heureux, ici et maintenant. Le simple fait de respirer et de prendre conscience d'exister constitue à lui seul un miracle.

À courir après le sensationnel, vous passez à côté de l'essentiel. Respirez, posez-vous tranquillement, prenez le temps de vous nettoyer les yeux par la contemplation d'un beau paysage et ressentez votre énergie circuler.

Si vos yeux restent aveuglés, hypnotisés par vos soucis, vous ne verrez jamais la beauté d'un lever ou d'un coucher de soleil. Alors respirez, respirez encore, reprenez contact avec la nature. Vous verrez le brouillard s'estomper doucement.

La simplicité, élément nécessaire au bonheur, est paradoxalement très difficile à obtenir. L'expérience nous conduit à aller à l'essentiel. Cultivez l'art suprême de la simplicité, osez être, sans détour ni préambule, sans craindre le jugement en retour.

Le sentiment de culpabilité, tellement destructeur, ne doit pas nous empêcher, chaque fois que l'on se sent un tant soit peu coupable de telle ou de telle attitude, de continuer dans la voie que l'on s'est fixée. Par exemple, en refusant une invitation à une soirée, organisée par des amis, à laquelle vous n'avez pas envie d'assister. Ne vous en faites pas, vous ne manquerez rien puisque vous êtes en accord avec vous-même.

De toute façon, la liberté, le bonheur ne se trouvent qu'à l'intérieur de vous. Soyez votre refuge en étant votre propre lumière. Le véritable combat étant contre soi, votre meilleur ami doit être vous-même. En apprenant à vous apprivoiser, vous deviendrez très proche de vous-même, voire intime à vous-même.

Vous voyez, les réponses ne se trouvent pas spécialement à l'extérieur : la connaissance intérieure constitue un puits sans fond… Les solutions demeurent en vous et vous appartiennent. La vérité est au fond de chacun de nous. Tout est une question d'ouverture à soi et de volonté d'entrer dans la conscience.

« Vivons heureux mais vivons cachés » est un merveilleux adage. Exposer son bonheur à son entourage peut parfois vite devenir une source de jalousie et de conflit non déclaré. Le phénomène est simple à comprendre. Votre image de bonheur est projetée sous les yeux de celui qui n'est précisément pas heureux. Votre présence et ce que vous dégagez vont le déranger au plus profond de lui-même, d'autant plus qu'il ne vibre pas dans les mêmes énergies de joie. Cela amplifiera son mal-être, il cherchera à niveler votre bonheur pour qu'il ressemble au sien. Mais heureusement, vibrer dans la béatitude peut parfois servir de déclencheur pour celui qui la recherche. Vous prenant comme exemple, il imitera votre attitude plus ou moins consciemment. Cette énergie le motivera dans cette quête.

La douleur sert d'outil de croissance... pour plus de conscience.

Apprendre au quotidien à recevoir un enseignement de tout ce qui nous arrive constitue une étape primordiale.

Le bonheur représente un état que l'on doit s'évertuer à développer, grâce au goût de l'effort et à la réussite de ses projets.

Tout posséder à dix-huit ans n'est pas forcément une chance : une voiture, un appartement, un compte bancaire déjà bien approvisionné. En effet, si l'équation travail = récompense n'est pas respectée, recherchée, voire connue, quel sens donner à sa vie ? Bref, l'idée est d'intégrer le sens des valeurs par rapport au travail que l'on peut fournir tout en sachant apprécier nos moyens du moment. Beaucoup perdent leur journée à se projeter dans l'avenir en passant à côté de l'instant présent. On peut très bien rouler dans une 4L un peu démodée et être beaucoup plus heureux que le conducteur de la Porsche dernier modèle qui attend au même feu ! La finalité n'est pas de détenir ce bolide, lequel nous permettrait d'accéder au bonheur comme par enchantement, non.

Soyez heureux de ce que vous pouvez posséder dès maintenant.

Tout cela ne dépend vraiment que de soi-même et ce sentiment de félicité s'acquiert au jour le jour en étant acteur de son bien-être.

N'attendez plus pour être heureux ! Prenez cet engagement aujourd'hui même car la vie est très courte.

Le travail sur soi

Vous cherchez à investir ? Le meilleur placement, c'est vous. Miser sur soi et sur son bien-être apporte énormément. Prendre du temps pour soi, c'est en gagner ! Alors prenez soin de votre corps, consacrez-lui du temps… il vous le rendra au centuple !

Faites le premier pas. Planifiez un rendez-vous avec vous-même en vous y tenant coûte que coûte. Ne l'annulez pas ou ne tombez pas dans la procrastination (le fait de reporter à plus tard).

Informez votre entourage en lui expliquant tout simplement l'importance de cette plage horaire. Mettre en mots cette décision la validera et vous évitera de sombrer dans une quelconque culpabilité…

Si paradoxal que cela puisse paraître, le plus difficile reste de prendre du temps pour soi plutôt que de se laisser absorber par les priorités de son entourage.

Un pan important du travail sur soi consiste à apprendre à gérer son stress, surtout si l'on est amené, professionnellement, à s'occuper de celui des autres… Qu'est-ce que le stress ? Un état de perturbation provoqué par une agression, quelle qu'elle soit, une réponse physiologique de notre organisme face à un danger quelconque, une situation difficile à gérer, une émotion angoissante, le bruit, la pollution, l'accélération du quotidien…

Le stress vient dès lors que nous nous surchargeons de travail et que nous oublions le sens des priorités. Quels sont ses effets sur nous ? Principalement des courbatures et des tensions qui apparaissent surtout au niveau du dos, de la nuque et des épaules. Il affecte aussi l'esprit, le rendant méfiant, susceptible, nerveux et à fleur de peau…

Communiquer, exprimer, verbaliser ses inquiétudes et ses problèmes permet bien souvent de s'en détacher… de la même façon que l'on éclaire les fantômes pour les faire disparaître (selon la légende).

Aussi le simple fait de verbaliser entraîne l'action…

« Dire, c'est faire », une fois exprimée, la situation est éclairée et nous pouvons avancer.

Le massage est une solution contre le stress. En participant au relâchement musculaire, il agit sur le mental profondément. En réunifiant le corps et l'esprit, le stress s'efface lentement.

Être comme un canal d'énergie. Donner, c'est recevoir

Le sentiment d'amour envers l'autre est générateur d'énergie pour soi. Donner (de l'attention, un sourire, une écoute, un cadeau…), faire plaisir, chercher à toucher par un mot, par un regard, une accolade, procure un sens à son existence, à ses relations avec autrui et offre une dimension sacrée à l'être humain. Tout ce qui n'est pas donné peut être considéré comme perdu. Tout ce qui est donné avec le cœur n'est jamais perdu ! Plus je donne et plus je suis rempli d'une énergie de partage et d'authenticité ! Le don de soi, de son énergie constitue une formidable expérience à vivre.

C'est le concept du « channeling » où l'on se situe entre la terre et le ciel. Pendant le massage, nous sommes aussi dans cet état d'ouverture tel un canal d'énergie. En ce qui concerne la protection durant le soin, je pense qu'il faut savoir se protéger tout en restant dans ce même état de don.

Quand cette énergie nous traverse, nous gardons un « bonus » au passage et devenons ainsi plus forts ! Quand on enseigne, on reçoit tellement, autant même que ceux qu'on instruit !

Le Qi Gong comme le Tai ji Quan enseignent l'acuité de la perception de soi-même et, a fortiori, des autres. Lorsque vous savez « ouvrir », vous savez aussi parcourir le chemin inverse vers la fermeture.

Une séance de massage est un échange énergétique en même temps qu'un ressourcement réciproque. Le but est de masser tout en étant méditatif pour se ressourcer constamment et apporter plus d'énergie avec les différentes techniques de toucher employées. Je considère la méditation comme une aide précieuse lorsque j'effectue un massage de bien-être : je vibre réellement dans un état de conscience plus élevé.

Personnellement, je vis cette harmonie au quotidien pour mon bien-être et pour ce partage avec l'autre. Comme je ne peux de toute façon donner que ce que je suis, j'ai tout intérêt à expérimenter et à intégrer les grandes lignes de mon travail en amont : gérer le stress, les tensions physiques et émotionnelles, apaiser les turpitudes psychiques, élargir le champ des perceptions, offrir une nouvelle conscience corporelle, participer à l'éveil de l'énergie et apporter une réelle relaxation du corps comme de l'esprit.

Un masseur digne de ce nom ressemble à un créateur de bien-être, véritable artisan de l'éveil des sens… en redonnant de l'énergie avec ses mains. Il veille toujours à apporter dans son soin une approche « psycho-corporelle », une prise de conscience nécessaire pour une meilleure gestion du stress. Cet espace-temps partagé entre le masseur et le massé témoigne d'un moment très privilégié, authentique, pur et magique.

Après le massage, c'est le silence du massage qui imprègne tout notre être… quinze à trente minutes environ sont nécessaires pour atterrir en douceur ou pour remonter à la surface… c'est un vrai moment d'éternité.

La voie du juste milieu

Dans le taoïsme, la Loi du juste milieu est omniprésente.

Citons un exemple :

Si l'on s'assied trop près d'un feu de veillée, la chaleur qu'il dégagera sera trop forte et nous brûlera. Alors que, si l'on se place trop loin, celui-ci ne nous réchauffera pas. La bonne distance sera ni trop près ni trop loin.

Considérez maintenant une grande pièce meublée avec deux observateurs placés à chaque extrémité. Chacun d'eux aura une vision de la salle selon son point de vue. Malgré des différences dans leur description respective, il sera néanmoins question de la même pièce… En relativisant, on se rapproche du juste milieu.

Il existe beaucoup d'autres exemples illustrant cette voie du juste équilibre. Durant un de mes séjours en Chine, consacré à l'expérience clinique des massages et de l'acupuncture, nos professeurs chinois employaient abondamment les expressions suivantes : « cela dépend », « tout est relatif », « oui et non ».

En effet, boire du jus de citron à jeun peut se révéler excellent pour vous alors que le même breuvage peut devenir un poison pour votre voisin. Un enseignant chinois n'avait de cesse de nous répéter que tout est bon si et seulement si nous n'en abusons pas. Au hasard des exemples : le café est reconnu comme boisson bénéfique pour la plupart. Est-il pour autant recommandé d'en prendre trois fois par jour, voire plus pour certains ?

En toute chose se trouve un point d'équilibre à ne pas dépasser.

Le juste équilibre peut être envisagé de gauche à droite et de haut en bas : dans le symbole de la croix symétrique, cette notion est préservée. Mais attention, peut-être que vous avez tendance à trop intellectualiser, à trop utiliser le mental, en décalage avec la réalité. La vie ne résulte pas d'une superposition de schémas et de concepts mentalisés. Vous la ressentirez toujours plus douce et plus agréable à vivre en étant moins dans votre tête et plus dans l'intégralité de votre corps.

Nos yeux nous trompent parfois, ne voyant pas toujours ce qui est vrai mais plutôt ce que nous pensons l'être. La vie n'est ni bonne ni mauvaise, « elle est ». Le mental l'interprète sans cesse selon son propre point de vue, adaptant les événements à ses intérêts.

Seul, entouré de brouillard ? Le vent cependant demeure bien présent et souffle… À chacun de nous d'orienter sa voile ! Relativiser, c'est prendre conscience que, derrière les nuages gris, le ciel reste éternellement bleu. La présence de la nuit ne rend pas l'existence de la lumière moins réelle pour autant…

Revenons aux qualités d'un bon masseur. Il prend des vacances régulièrement pour se ressourcer et se remettre en question. Ce n'est pas parce qu'il possède un outil dans les mains (avec lequel il a de la réussite) qu'il doit l'utiliser tous les jours. Il sait ralentir, s'arrêter pour repartir de plus belle et aller encore plus loin. Voilà le réel gage de qualité, de conscience, de confiance… Bien qu'il existe des périodes beaucoup plus soutenues que d'autres, le masseur doit se donner les moyens de « se faire du bien » le premier. En se ressourçant de la sorte, il va plus loin et évolue dans le temps. Bref, observons la juste mesure en toute chose.

Il m'arrive souvent lors d'une séance de vouloir trop donner. L'expérience venant, je me suis aperçu que « point trop n'en faut ». Il suffit parfois d'un mot ou d'un conseil juste et ciblé pour combler la demande d'un client, l'important étant qu'il prenne conscience et qu'il agisse dans le temps.

Pourquoi donc ne pas partager une philosophie de vie prônant *la réalité de l'impermanence, la non-dualité, le détachement, l'évolution de la conscience et l'amour* ?

Le toucher

Facteur essentiel pour notre équilibre physique et émotionnel, *le toucher* devrait occuper en Occident une place plus importante dans notre vie familiale, sociale, professionnelle et être présent de notre naissance à notre mort.

L'être humain constitue un système sophistiqué de communication dont l'interaction avec son environnement passe par les sens dont *le toucher*, premier à se développer chez l'embryon. Nous pouvons évoluer sans voir, sans entendre, en manquant de goût et d'odorat mais nous ne pouvons pas vivre sans être touché. Les mots peuvent nous induire en erreur, la vue peut nous tromper mais *le toucher*, lui, ne ment pas. Quand une main se pose sur notre épaule, nous reconnaissons tout de suite un geste amical, indifférent ou hostile.

En Occident, *le toucher* se définit par une action tactile de la main sur la surface de la peau, exerçant sur elle des stimuli de chaleur, de froid, de contact, d'électricité, d'apaisement, voire même de douleur.

Tandis qu'en Orient, comme nous l'avons vu dans la quatrième partie « Le tour du monde des massages », il représente bien plus qu'un simple geste naturel.

Constituant un art de vivre visant à relier l'homme à l'Univers, il régule ses rythmes biologiques et énergétiques et harmonise son corps dans toutes ses dimensions. *Le toucher* fait partie de son quotidien sous diverses formes de soins ancestraux.

En Asie, la communication passe autant par la parole que par *le toucher*.

Chaque jour en Inde, la femme enceinte et la jeune maman reçoivent un massage tandis que le nourrisson est massé quotidiennement deux fois et ce, jusqu'à l'âge de huit ans.

Chaque semaine dans les réunions familiales, chacun donne et reçoit un soin. Tout le monde est à même de soulager son voisin, juste par quelques pressions ou par de simples stimulations de certains points énergétiques.

En Afrique, l'enfant dort emmailloté sur le dos de sa mère, les femmes se lavent mutuellement au hammam. Les exemples sont nombreux…

La peau, premier-né de nos organes et notre première relation au monde, représente l'organe le plus déterminant dans le comportement humain. Elle marque la frontière physique entre la personne et son environnement.

Plusieurs expériences d'isolation ont démontré que, lorsque le contact avec le milieu ambiant est réduit au maximum, l'organisme ne peut plus survivre très longtemps sans une stimulation externe de la peau. Les scientifiques ont récemment découvert un gène assurant la liaison entre *le toucher* et la croissance. Ils ont constaté que les prématurés bénéficiant d'un certain toucher arrivaient à prendre jusqu'à 40 % de poids supplémentaire.

La stimulation tactile précoce est un atout majeur dans toutes les formes d'évolution infantile. On voit de plus en plus, dans les services de prématurés, des pratiques de *toucher* comme le massage dans la couveuse ou le porter « peau à peau » sur le corps de la mère. Les résultats obtenus sont encourageants : une meilleure respiration, une prise de poids plus rapide ou encore moins de pleurs et d'agitation.

Le bébé est avant tout un être à part entière qui réclame attention, soins, reconnaissance et protection.

L'haptonomie, science de la vie affective, étudie tous les phénomènes liés aux contacts tactiles dans les relations humaines ; ses applications concernent la vie entière (de la conception à la mort). C'est dans la qualité des premiers échanges sensoriels que le bébé va pouvoir construire sa propre identité, saine et équilibrée. Le fœtus recherche déjà le contact physique avec le ventre de sa mère et la main de celle-ci est le premier organe « étranger » qu'il sent.

Durant les trois premiers mois de sa vie, les coliques sont fréquentes car son tube digestif n'est pas encore tout à fait opérationnel. Un petit massage très doux du ventre le soulagera souvent et permettra l'évacuation des gaz.

Les bercements, les caresses et l'effleurage favorisent la fabrication de l'endorphine. Cette hormone, produite par le cerveau, procure une grande détente tout en favorisant le sommeil.

De plus, un enfant « touché » accède à la connaissance de son propre corps et peut stimuler, au mieux, toutes les fonctions nécessaires pour son développement. Prenant conscience de lui-même, il acquiert aussi celle de la relation avec les autres.

Pour l'adulte, *le toucher* représente un excellent moyen de gérer au mieux le stress et l'angoisse pour retrouver le repos du corps et de l'esprit. Il est fondamental pour relancer l'ensemble des fonctions vitales de l'organisme. En effet, des études récentes ont permis de révéler que par son effet, les hormones antistress chutaient (en raison de la diminution du stress) et qu'une certaine catégorie de lymphocytes T (support de l'immunité cellulaire) augmentait.

Le toucher favorise une meilleure circulation sanguine et lymphatique, entraînant une stimulation de l'oxygénation des cellules et une élimination des toxines.

Il aide à solliciter toutes les zones d'ombre ou en « jachère » en stimulant nos récepteurs sensitifs présents dans la peau, les muscles, les tissus, les tendons. Il redéfinit la représentation que nous avions de notre corps, c'est ce que l'on appelle « le schéma corporel retrouvé ». La perte d'identité de l'être est souvent liée à la contradiction du psychisme avec les sensations, la peau, les muscles… Se créer une façade ou jouer un rôle pour parvenir à une identité entraîne une dissociation entre le moi et le corps. La définition de soi passe obligatoirement par l'expérience tactile : atteindre l'esprit par *le toucher*.

Dans le massage, nous sommes dans l'authenticité de la dimension humaine. En s'abandonnant, la personne massée nous offre une intimité peut-être jamais dévoilée à autrui… excepté à nous, « étranger ». C'est pourquoi *le toucher* doit toujours être pratiqué avec une écoute et un immense respect du client, de ses croyances, de sa pudeur et de son corps.

En Occident, on a longtemps négligé *le toucher* qui

était tabou, et de plus associé au mal et à la sexualité. Alors que le simple fait de tenir la main de quelqu'un est d'un très grand réconfort et permet d'entrer dans une relation plus humaine et plus profonde avec lui.

Les massages sont porteurs d'énergie et d'attention. Ils aident à respirer la vie et à s'arrêter un peu pour prendre le temps de vivre. C'est également un merveilleux outil pour pacifier l'être et faire émerger le meilleur de lui-même. En connexion alors avec lui-même, il sera en paix avec autrui.

Le toucher est une nécessité vitale au même titre que se nourrir, respirer, boire ou dormir.

Alors, le moment est venu de l'expérimenter pour vous ouvrir la voie de la redécouverte de vos sens, de votre paix intérieure et pour retrouver le plaisir d'un corps capable de se mouvoir librement. C'est la voie royale pour prendre en main votre santé, optimiser votre bien-être et retrouver votre sourire intérieur.

[illegible] et de plus [illegible]

[illegible]

[illegible] de la [illegible]

[illegible]

[illegible] Dans cette

Une dimension de Sacré

Un seul et même discours apparaît lorsque l'on écoute un masseur, un praticien de Qi Gong, un violoniste ou encore un boulanger s'exprimer sur l'énergie (sous réserve qu'ils aient l'amour de leur travail). Quel que soit le support, l'activité et la coordination s'effectuent toujours entre la tête, le cœur et les mains, sans altérer les lois qui régissent leur activité. Les expériences qui s'ouvrent à eux sont relativement semblables, c'est le même monde de l'énergie, de la conscience des éléments dont nous faisons d'ailleurs partie intégrante.

Il est « sacrément » étonnant d'arriver aux mêmes conclusions sur l'existence et sur la quintessence de nos expériences respectives, malgré des professions distinctes.

Existerait-il des lois universelles sur les rouages et les principes de la vie ? J'en suis profondément convaincu.

Revenons à nos massages... Un massage donné dans les règles de l'art nous projette dans une dimension de sacré. En Occident, nous sommes des « handicapés » du *toucher* à tel point que cet acte, consistant à recevoir un massage, nous semble extraordinaire. Dans cette nouvelle dimension, c'est nous-mêmes que nous rencontrons ou que nous retrouvons pendant un tel *soin*. Une telle attention reçue remonterait peut-être à la petite enfance avec tous ses souvenirs, ses émotions, ses attentes, ses dépendances…

Toucher un corps, lui apporter une intention bienfaitrice accompagnée pour certains d'une connaissance « thérapeutique » relève du Sacré.

Le Sacré touche à la vie, au visible comme à l'invisible. Il me semble que beaucoup des qualités humaines sont mises en exergue pendant une séance de massage, moment d'ailleurs souvent vécu comme intense puisque unique. Ici, il est question de la quintessence de la personne.

Cet harmonieux mélange de confiance, de confidence et de véritable proximité dans l'intégrité d'une intimité déclarée confère à cet acte simplement tactile en apparence une empreinte de Sacré et peut dépasser en terme d'intensité l'acte sexuel. Un toucher professionnel remplit autant sinon plus qu'une étreinte amoureuse.

Pendant une séance, nous recevons de l'amour donné par le praticien sans autre attente que celle de disperser les tensions physiques, d'apaiser l'esprit et de refaire circuler l'énergie vitale dans tout le corps.

L'amour et la reconnaissance représentent des besoins fondamentaux de l'être humain. On peut comprendre plus facilement l'influence que représente un massage de bien-être.

Rappelez-vous, dans toutes les grandes civilisations (égyptienne, grecque, latine, chinoise, indienne…), le corps a toujours occupé une place prépondérante. La dimension sacrée du corps y était prônée et chacun consacrait du temps pour ce voyage intérieur.

En échangeant nos expériences, nos compréhensions et nos interrogations entre praticiens, nous nous accordons à dire que le massage agit sur plusieurs plans et dans la simultanéité.

Dans cet espace, le massé peut accoucher, par des mots, de ses éventuelles souffrances ou de ses nouvelles prises de conscience. Après une telle séance, il est donc important de prendre le temps pour un retour en douceur.

La libération : dessein ultime de la vie

Quelles que soient notre vie et nos aspirations, nous tendons tous à nous libérer de quelque chose. Certains veulent se libérer d'une condition sociale, d'autres d'une éducation ou d'un système de pensée, d'une responsabilité familiale trop pressante ou bien encore d'un mal-être corporel… Ici, un travail postural et respiratoire adéquat permet de se réapproprier son corps et de se mouvoir en conscience : libre, délié, souple, léger, sensible et réceptif. Tout n'est qu'une question de travail et de prise de conscience.

La vie est une formidable expérience à vivre. De par nos habitudes, notre éducation et les peurs entretenues par notre mental, nous pouvons passer à côté du plaisir simple et absolu de l'existence.

L'attitude qui consiste à livrer son corps, systématiquement et pour n'importe quels petits maux, à la médecine allopathique est bien regrettable. J'entends, par là, que nous ne devons pas nous abandonner dans les mains d'inconnus mais au contraire apprendre à nous connaître et à nous respecter. Respectons nos besoins fondamentaux et vitaux en adoptant une bonne hygiène de vie comprenant une alimentation saine, des exercices physiques appropriés, un sommeil réparateur, un retour au calme auditif et visuel. Nous vivons dans un monde de bruits tout en ayant perdu ceux qui nous sont essentiels tels que le son du vent, de l'eau, des cascades, des oiseaux…

Osez être, faire et vivre ce que vous pressentez. Faites-vous confiance, les solutions sont en vous. Suivre votre ressenti et faire confiance à votre intuition, c'est prendre le risque de l'inconnu pour avoir accès aux trésors cachés attendant d'être révélés.

Oser mettre en pratique et concrétiser dans votre quotidien ce que vous ressentez permet parfois d'ouvrir une voie qui entraîne le réveil de notre conscience.

Soyez acteur de votre bien-être, entretenez votre santé puisque votre vie est entre vos mains.

L'énergie, en partie bloquée par vos résistances, se libère dès que vous lâchez prise. Alors l'horizon s'élargit, et soudainement vous entrevoyez des possibilités insoupçonnées.

L'un des héritages les plus importants des mouvements sociaux des années 1960 reste l'idée qu'en militant pour les autres, nous militons aussi pour nous, et que nous ne pouvons pas exiger des autres ce que nous n'exigeons pas de nous-mêmes. Être soi-même face à l'autre devient pour lui une merveilleuse invitation à en faire autant. En nous libérant de nos propres peurs, d'être seuls ou d'être libres par exemple, notre simple présence libère automatiquement les autres. Notre capacité à faire la paix avec les autres dépendra, pour beaucoup, de notre aptitude à effectuer d'abord la paix *avec* nous-mêmes.

Être soi-même pour Faire et ensuite seulement Avoir. Et non l'inverse, Avoir pour Faire en vue d'Être.

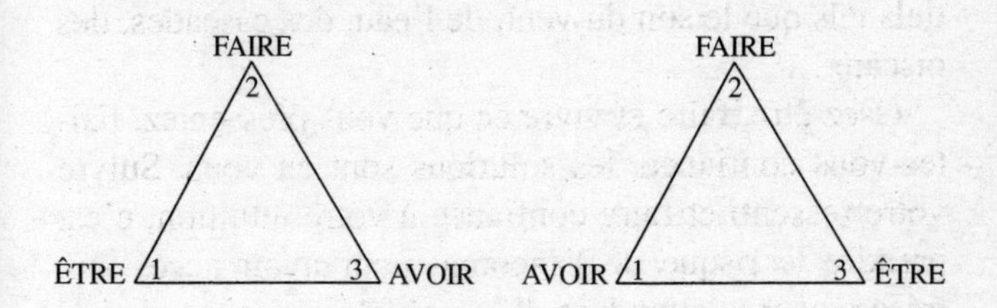

Grâce à cet état, à cette attitude, nous savons où diriger nos actions pour agir. Alors de ce travail, de ce Faire, découle l'Avoir.

A contrario, lorsque l'on prône le matérialisme et le paraître au détriment de la connaissance de soi, on se retrouve vite dans le piège de l'illusion, au pied du mur. Posséder du matériel à outrance pour parvenir au bonheur constitue le miroir aux alouettes.

« Je suis riche des biens dont je sais me passer », nous suggérait un philosophe. D'une certaine manière, détenir du matériel emprisonne et s'en détacher libère…

Conclusion

Le massage de bien-être est un art où l'intuition, l'attention, le talent, la technique et la simplicité amènent la personne massée dans un état de relaxation profonde. Le corps et l'esprit peuvent alors se ressourcer tout en s'unissant au fil du massage « non thérapeutique, au sens médical ».

Prendre soin de l'autre pendant plus d'une heure grâce à un toucher sur mesure redonne toute la dimension du corps à l'humain « qui se cache en nous-mêmes ». Les massages prodigués sont donc à la fois uniques et personnalisés puisqu'ils prennent en compte la personne dans sa globalité. Le fond et la forme du massage à donner dépendront directement de la carte géographique et de l'histoire du corps du massé, de ses besoins plus ou moins exprimés, de son intelligence émotionnelle et de son tempérament.

Une personne est un personnage. En effet, nous jouons tous des rôles sociaux et nous sommes jugés par rapport à eux. Il se peut quelquefois que l'on s'enferme dans des rôles qui ne nous correspondent pas. La conséquence de ce décalage entre ce que nous sommes et le personnage que nous voulons paraître peut amener des tensions, voire des pathologies.

La majorité d'entre nous vit dans la crainte du regard de l'autre, dans la peur d'être mal jugés et improvise le plus souvent des personnages qui ne leur correspondent pas, devant par la suite les assumer, avec toutes les difficultés que cela comporte. Les fortes tensions qui en découlent peuvent aller jusqu'à la rupture, prendre des formes de maladies des plus bénignes (eczéma, maux de ventre, céphalées…) aux plus malignes…

Le massage peut être une médiation qui permet de redevenir soi-même, de mettre à distance la peur du jugement des autres et de reprendre une certaine confiance en soi. Il peut devenir ce moment de plénitude dans lequel jouer un personnage devient secondaire. Cette dimension de l'intime, cet espace d'apaisement dans lequel on ne ressent plus l'intérêt de jouer un rôle nous permettent de révéler notre pure intériorité, notre moi le plus profond.

Un bon massage permet, l'espace d'un court instant, de ne plus se cacher derrière un masque. Dès le moment où la croyance du personnage que l'on s'est forgé est mise de côté, les tensions s'amenuisent en laissant apparaître ce que nous sommes réellement. Pendant ce véritable ressourcement, nous renaissons à nous-mêmes.

Tout cela nous rappelle que nous sommes constamment pris dans des rôles différents que nous voulons absolument jouer. Aussi, à force de vouloir à tout prix paraître ce que nous ne sommes pas, nous finissons par être une pure image extérieure à nous-mêmes.

Le mot aliénation correspond à cet état puisque, comme l'indique l'étymologie, nous devenons étrangers à nous-mêmes. Dès lors, c'est bien parce que nous ne nous reconnaissons plus dans ces rôles que nous nous perdons nous-mêmes. Le désir de reconnaissance que nous attendons des autres, à travers le rôle que nous nous donnons, en vient à ce que nous ne nous reconnaissons plus nous-mêmes…

Vivant ainsi uniquement dans l'extériorité, notre intériorité niée va alors irrémédiablement finir par se manifester, le plus souvent de manière dramatique. *Le corps se rappelle constamment à nous ! Et c'est notre chance…* Ces tensions et ces douleurs manifestées sont le plus souvent incompréhensibles pour celui qui s'est engagé à jouer tel rôle qui ne lui correspond pas. Nous sommes le plus souvent dans la pure illusion de nous-mêmes et nous ne cessons de nous mentir. À l'instar du menteur contraint de trouver sans cesse de nouvelles histoires pour justifier son mensonge, nous croyons qu'en approfondissant notre rôle ou en le modifiant, nous sommes dans le vrai vis-à-vis de nous-mêmes, alors que justement nous nous en éloignons encore un peu plus.

Le massage offre la possibilité de se réconcilier avec soi-même, de se réajuster avec son intériorité. Si le masseur est un bon praticien et si celui qui reçoit son geste veut vraiment jouer le jeu de l'abandon de son rôle, alors la réconciliation avec lui-même est possible.

Parfois, je rencontre des personnes prises encore dans la pure extériorité, utilisant leur téléphone portable ou préoccupées par tout ce qui se passe autour alors qu'elles reçoivent un massage. Autant vous dire que ces personnes passent à côté de l'essence même du massage et donc d'elles-mêmes.

D'autres, au contraire, ressentent très vite la nécessité du lâcher prise et de l'abandon de toute forme de masque pour essayer de se réconcilier avec leur intériorité.

Une fonction de la conscience psychologique réside bien dans l'illusion « illudere », c'est-à-dire dans le jeu qu'elle entretient aussi bien vis-à-vis d'elle-même que des autres consciences. Son corollaire n'est autre que le divertissement au sens étymologique, c'est-à-dire le fait de s'écarter de ce que nous sommes véritablement au profit de l'inessentialité et du pur paraître. L'inessentiel peut être compris ici comme une image que l'on veut donner de soi et qui est conforme à celle que produit notre société du « spectacle ».

Beaucoup se trouvent, par faiblesse ou par absence de réflexion sur soi, obligés de revêtir ces misérables lambeaux que sont les images toutes faites, totalement artificielles et normatives, présentes aussi bien dans la publicité que dans la logorrhée des médias.

Nous devenons ainsi, à notre manière, des « iconodoules », des adorateurs d'images, dans lesquelles nous nous perdons.

N'hésitez plus un instant à laisser tomber ce rôle ! Ayez le souci de vous-mêmes en prenant soin de vous dès maintenant.

Le massage pourrait bien devenir l'antidote à ces fléaux modernes que sont l'isolement, la dépression… Le masseur donne une leçon de jeunesse et d'enthousiasme à travers cette fête des sens.

Le massage permet de se retrouver soi-même mais aussi de retrouver l'autre… Grâce au massage, nous réapprenons à communiquer.

La nouvelle voie de la communication est certainement la communication par *le toucher*, *le toucher* vrai.

Dans le couple, le massage représente un espace

d'échange parfois bien salvateur dans des vies trop remplies et trop rapides… il est un outil relationnel, un moyen de partage. C'est l'art et la manière de communiquer sans parler, juste par *le toucher*. Moyen de communication et véhicule de l'émotion, *le massage est une méthode de dialogue avec le corps*. Il baigne d'amour.

Le massage de bien-être ne prend pas le relais de l'affection, il l'emporte vers d'autres rives en ouvrant une parenthèse d'éternité sur « le temps qui passe ». Quel beau « pied de nez » au sablier…

B. von Sutter a déclaré : « Après le verbe aimer, aider est le plus beau verbe du monde. » Masser viendrait juste après…

Je vous invite à être, au présent de l'indicatif, et à conjuguer le verbe masser par tout temps et en toutes circonstances.

Massez sans plus attendre, massez-vous les uns les autres ! Libérez-vous les uns les autres de ce rôle dont vous ne voulez plus. Faites découvrir la plénitude du massage de bien-être : effacer la fuite du temps, partager la plénitude du monde et la quête de l'absolu.

Le massage n'est pas seulement un beau voyage, il représente le plus beau de tous. Avec lui, nous embarquons pour une terre lointaine que nous croyions inaccessible.

Quel est le contraire de l'enfermement, dans sa dimension humaine et énergétique ?

N'est-ce pas la libération, le voyage, l'aventure, l'enchantement ? Ou bien la plénitude, l'ivresse, la jubilation, le ressourcement, l'affection, le plaisir. Ou encore la confidence, le partage, le cadeau, l'ouverture, la confiance…

Cela fait décidément beaucoup de jolis mots pour définir le massage…

Bien des individus subissent leur vie et les événements du quotidien. C'est la survie des temps modernes ! Mais où est donc passée l'énergie ? Que faites-vous pour être heureux ? Quels sont les moyens et les solutions que vous mettez en œuvre ? N'attendez plus, agissez ici et maintenant ! Osez le premier pas intrépide sur le chemin des « gens heureux ». Votre vie est à créer, votre avenir est entre vos mains, et votre bien-être passe par votre corps !

Utilisez cette liberté qui vous est donnée de développer votre propre conscience et de concrétiser vos projets. Avancez dans la direction que vous avez choisie et ressentez le plaisir de vous sentir guidé par vos propres énergies…

Développez votre confiance dans l'avenir que vous vous construisez…

Et pour cela, offrez-vous du temps, le temps d'un massage…

ANNEXES

Exemple de charte destinée aux professionnels

Fruit d'une expérience approfondie, elle garantit le respect de la personne et la qualité des massages de bien-être.

Respecter cette charte, c'est ne pas transiger avec la qualité des massages de bien-être et du service de massage à domicile. Il en va de notre éthique et des lettres de noblesse que nous souhaitons donner à notre profession.

Le partage et le respect de cette charte doivent aboutir à une approche commune, à une cohésion palpable et à un véritable corps de masseurs.

Harmonisation du praticien : être présent pour transmettre sérénité et énergie vitale. Pratiquer le Qi Gong, le yoga, l'automassage ou la méditation régulièrement, voire quotidiennement.

Humilité, bonne humeur et professionnalisme ne sont pas seulement réservés à nos clients, au personnel hôtelier, aux salariés des entreprises ou autres intermédiaires. La même attitude est requise entre nous-mêmes, praticiens du bien-être et de la santé. Les membres qui y adhèrent partagent tous un objectif commun : s'inscrire dans la durée en donnant le meilleur d'eux-mêmes pour la satisfaction de leurs clients.

Recevoir un massage toutes les deux ou trois semaines au moins.

Ces échanges entre massothérapeutes sont très bénéfiques.

Engagement de se former en permanence et de s'améliorer pour être toujours au meilleur de soi-même.

Donner quatre à cinq massages par jour est un maximum pour qui prétend être un artisan du massage.

S'engager dans cette voie du toucher non pas pour l'argent mais par conviction et conscience des vertus du massage (tant pour soi que pour l'autre). Ne pas « surfer » sur une tendance mais affirmer et communiquer sa passion.

Avoir une hygiène de vie conforme à notre activité professionnelle (un vrai repos la nuit, peu ou pas de consommation d'alcool et de cigarettes, une alimentation saine et un minimum d'activité physique...).

Arriver au domicile du client avec une voiture propre, intérieur comme extérieur...

Posséder le numéro de téléphone (fixe et mobile) du client pour prévenir d'un éventuel retard, ponctualité oblige.

Éteindre son téléphone portable et inviter le client à faire de même.

Avoir une tenue vestimentaire adaptée : pantalon en coton ou en lin avec un haut clair plutôt uni, souliers légers... par exemple.

Les vêtements sont portés près du corps pour éviter tout effleurement non souhaité...

Les avant-bras sont nus, sans bijoux ni montre. Les ongles sont impeccablement courts.

Enlever ses chaussures pour plus d'enracinement et faire moins de bruit.

Être propre, mais aussi « sentir bon » (nécessité de prendre une douche avant, déodorant pour les aisselles…).

Utiliser un matériel de qualité : une table large d'environ quatre-vingts centimètres avec un repose-tête et un repose-bras en bout de table (afin que tout le rachis dorsal soit aligné), une ceinture porte-bidon d'huile, des huiles essentielles et végétales de qualité.

Après avoir installé la table de massage, se laver les mains avant de commencer le soin. L'idéal étant également de se désinfecter les mains avec une lotion bactéricide, fongicide…

Après la séance, se relaver les mains et passer ses avant-bras sous l'eau froide pour les épurer de toute énergie parasite.

Inviter le patient à boire un verre d'eau (à température ambiante) après le massage. Cette « offrande » permet une transition simple, conviviale et efficace.

La personne massée est libre de garder ses vêtements ou bien de se mettre nue. L'important est qu'elle se sente le plus à l'aise possible.

Travailler avec de longues et larges serviettes ainsi que des plus petites garantit le respect de la nudité du client.

Ne pas effectuer les massages sur des lits ou des transats de plage, sauf éventuellement pour la réflexologie plantaire et le massage du visage.

Être présent, centré dans un état d'esprit calme, détendu, serein, à l'écoute, disponible, dans une réceptivité sensorielle optimale. Être dans le don et dans le cœur.

Avoir un vrai positionnement et une attitude claire face au client pour redonner ses lettres de noblesse au massage : éduquer, informer, s'exprimer avec éthique, cadrage et transparence.

« Accueillir » le client-ami les mains chaudes et chargées d'énergie.

Une vraie séance de massage dure environ une heure et trente minutes dont une heure et quinze minutes sont consacrées au massage. Montrer l'exemple en prenant le temps…

Un toucher franc, généreux et subtil qui doit respecter les zones privées des personnes massées. Être centré, c'est également prodiguer un massage sans gestes équivoques.

L'atout corps : utiliser le poids de son propre corps, travailler les postures, réinvestir ses appuis pour un minimum d'effort pendant le massage.

L'atout respiration : masser avec sa respiration. Être conscient de sa respiration à chaque instant, à chaque mouvement. Expirer en silence et de côté…

À la fin du massage, couvrir le corps du client avec attention et observer en silence le ressourcement présent qui imprègne notre cher massé… Il aura besoin d'un quart d'heure environ pour intégrer le massage et atterrir… C'est ce temps qui compte, comme un vrai moment incompressible.

Garder une discrétion parfaite quant à la vie privée du client et à ses habitudes personnelles.

Avoir le respect des prix « du marché » en évitant le dumping pour « arracher » une prestation. Juste une question de bon sens pour assurer la pérennité de nos prestations de qualité.

Et puisque nous avons comme principe de garder les pieds sur terre (voire enracinés pour un meilleur travail…), il est primordial d'être au clair sur quelques points bien « terriens » tout aussi importants que le cœur que nous mettons à l'ouvrage :

Avoir une tenue de comptabilité évitant toute déconvenue avec l'administration fiscale et les organismes sociaux. L'expert comptable est notre allié pour exercer notre métier en toute sérénité.

Être assuré pour sa pratique professionnelle par un contrat d'assurance responsabilité civile professionnelle adapté. Ne pas se priver des conseils de l'assureur car lui aussi est l'allié de tous nos projets.

Création de la FFMBE

Le 12 octobre 2004, la FFMBE (Fédération Française Massage de Bien-Être) a été créée afin de donner une existence juridique à une nouvelle profession en plein développement. Les praticiens du massage de bien-être (MBE) entendent ainsi montrer leur détermination à exercer leur métier en toute légalité, et leur attachement à défendre les Français qui sont victimes de désinformation sur la pratique du massage de bien-être et de discrimination dans l'accès au bien-être, par rapport à leurs collègues européens.

Avec cette création, les praticiens seront plus forts pour parvenir à une clarification de la réglementation de la pratique du massage de bien-être en France. Ils souhaitent pouvoir offrir leurs services au plus grand nombre, pour les faire bénéficier des bienfaits de techniques éprouvées, qu'ils maîtrisent bien, d'une efficacité indiscutable et d'utilité publique dans notre époque de stress.

La FFMBE s'appuie sur le travail et l'expérience des experts et pionniers de ce domaine (reconnus au-delà de nos frontières) qui, depuis plus de vingt ans, œuvrent et ont formé ces milliers de praticiens du massage bien-être qui dispensent leur art au quotidien dans l'Hexagone. Elle a donc suffisamment de recul et toute légitimité pour en être le garant.

La France apparaît aux yeux des autres pays d'Europe comme retardataire, rétrograde et en contradiction avec les directives européennes sur le droit à la santé. Elle se donne dorénavant les moyens d'évaluer sereinement une pratique de « prévention millénaire », dénuée de danger, qui a la faveur du public et dont les effets bienfaisants sur le plan tant individuel que collectif ne sont plus à compter. La création de cette Fédération était attendue par tous les professionnels du bien-être et annoncée depuis longtemps. Aujourd'hui, c'est chose faite.

La Fédération a pour objet

– la défense de l'usager-consommateur des soins de détente, de relaxation, entendus sous le terme générique de « bien-être », afin que celui-ci puisse être massé où et quand bon lui semble, par qui lui semble bon, sans autre limitation que celles énoncées ci-après,

– la promotion des techniques du massage de bien-être, favorisant l'épanouissement de la personnalité et des facultés naturelles de l'usager, prodiguées par des praticiens du massage de bien-être enregistrés et agréés par la FFMBE,

– la défense de la pratique du massage de bien-être, à l'exclusion de toute pratique médicale, paramédicale ou thérapeutique,

– la constitution d'un Registre national des praticiens du massage de bien-être afin de répondre à la demande croissante du public,

– la prise de position ou l'intervention dans des situations mettant en cause un praticien de massage de bien-être ou une institution de formation membre de la Fédération,

– le rapprochement avec des fédérations européennes et internationales ayant pour objectif de développer le massage de bien-être,

– la promotion, la réhabilitation et la légalisation du massage bien-être auprès des pouvoirs publics, comme discipline distincte de la masso-kinésithérapie,

– la protection du public contre les incompétences dans ce domaine.

Localisation anatomique des points d'acupuncture

Yin Tang (Point Extraordinaire) :
Entre les extrémités internes des deux sourcils.

4 RM (Guan Yuan) :
À 3 cun (4 travers de doigts) au-dessous de l'ombilic, sur la ligne médiane de l'abdomen.

6 RM (Qi Hai) :
À 1,5 cun (2 travers de doigts) au-dessous de l'ombilic, sur la ligne médiane de l'abdomen.

20 VB (Feng Chi) :
Sous la protubérance occipitale externe, dans le creux situé entre l'insertion du muscle sterno-cléido-mastoïdien et celle du trapèze. Ce point correspond à l'attache du nerf d'Arnold.

17 RM (Dan Zhong) :
Au milieu du corps du sternum sur l'horizontale unissant les deux mamelons, au niveau des 4es espaces intercostaux.

20 GI (Ying Xiang) :
Situé entre le bord externe de l'aile du nez et le sillon naso-labial.

26 DM (Ren Zhong) :
Situé sous le nez, au point de jonction du tiers supérieur et du tiers moyen du philtrum.

24 RM (Cheng Jiang) :
Sur la ligne médiane du maxillaire inférieur, dans la dépression du centre du sillon mento-labial.

23 RM (Lian Quan) :
Sur la ligne médiane du cou, au milieu de la ligne réunissant le sommet de la pomme d'Adam et le bord du maxillaire inférieur.

22 RM (Tian Tu) :
À la base du cou, dans la fossette sus-sternale.

3 R (Tai Xi) :
Au milieu de la ligne reliant le sommet de la malléole interne au tendon d'Achille.

60 V (Kun Lun) :
Au milieu de la ligne reliant le sommet de la malléole externe au tendon d'Achille.

1 R (Yong Quan) :
À l'union du tiers antérieur et du tiers moyen de la voûte plantaire, sur la ligne médiane.

6 R (Zhao Hai) :
Dans la dépression se trouvant à 1 cun (1 travers de pouce) au-dessous du sommet de la malléole interne.

1 V (Jing Ming) :
Proche du bord interne de l'orbite, en dedans et au-dessus de la commissure palpébrale interne de l'œil.

2 V (Zan Zhu) :
Dans une dépression située à l'extrémité interne du sourcil, juste au-dessus de la commissure palpébrale interne de l'œil.

21 VB (Jian Jing) :
Au bord intérieur du trapèze, à mi-distance de la 7e cervicale et de l'extrémité de l'acromion.

8 EC (Lao Gong) :
Au centre de la paume de la main, entre le 2e et le 3e métacarpien, à l'endroit que touche l'extrémité du majeur lorsque le poing est fermé.

Table des matières

Imprimé en France par

à La Flèche (Sarthe)
en janvier 2010

POCKET – 12, avenue d'Italie - 75627 Paris cedex 13

N° d'impression : 56218
Dépôt légal : février 2010
S17162/01